사진예술 아카데미

사진예술 아카데미

발행	2024 05월 22일
저자	김정식, 김형도, 채광표
펴낸이	한건희
펴낸곳	주식회사 부크크
출판사등록	2014. 07. 15(제2014-16호)
주소	서울특별시 금천구 가산디지털1로 119 A동 305호
전화	1670-8316
E-mail	info@bookk.co.kr
ISBN	979-11-410-8629-9

www.bookk.co.kr

사진예술 아카데미

김정식, 김형도, 채광표 지음

BOOKK

차례

이 책의 구성

2022년 8월에 발행한 초중급자용인 '행복 사진 찍기' 책의 후속편으로 이번에는 중상급자용 '사진예술 아카데미' 책을 발행하게 되었다.

그동안 카메라도 DSLR에서 미러리스로 발전하고, 사진 후보정에 인공지능 기능이 추가되는 등 여러 가지 변화가 있었다. 이러한 변화에 따라 여러 가지 새로운 촬영기법을 배우고 출사도 이곳저곳 다니면서 사진 작품을 만들어 왔다.

"작가님! 언제 사진전을 하나요?", "연말에는 개인전도 준비하나요?"

이제 이런 질문도 많이 받으면서 국내외 작가들의 사진 전시회도 부지런히 관람해 본다. 그동안 교수님들께서 가르쳐주신 강의 자료와 최근까지 출사 다니면서 찍은 사진을 모으고, 인공지능(AI)을 활용하여 중요한 사진 촬영 정보를 재정리하였다.

이렇게 구성한 이 책의 주요 특징은 다음과 같다.

1. 선택형 모듈식 내용 구성

중급자에서 상급자 수준까지 여러 가지 촬영 방법과 내용을 순서와 관계없이 선택적으로 학습할 수 있도록 구성하고, 30여 년간의 교육경험을 바탕으로 단계적으로 설명하였다.

2. 다양한 촬영 방법 제시

다양한 촬영 방법을 익힐 수 있도록 매뉴얼에 가까운 순서로 구성하였으며, 학습 동기를 유발할 수 있도록 풍부한 예제 사진을 메타데이터와 함께 제시하였다.

3. 인공지능(AI) 활용 내용 전개

최신의 인공지능 정보를 활용하여 내용을 선정하고 전개하여 보다 체계적이고 논리적으로 사진 촬영 방법과 내용을 설명하였다.

4. 최신의 카메라 기능 활용

날로 발전하는 카메라의 기능을 숙지할 수 있도록 미러리스 카메라를 중심으로 내용을 전개하면서도 기존의 DSLR 카메라에 관한 설명과 최적의 사진 중 일부를 보충하여 제시하였다.

5. 능동적인 촬영 활동 권장

사진 공모전, 그룹전과 개인전 준비 과정과 관련 내용을 상세히 설명하여 학습자가 자율적으로 흥미와 도전 정신을 가지고 사진작가 활동을 적극적으로 할 수 있도록 하였다.

그동안 이 책이 나오기까지 사진 교육을 열정적으로 해주신 교수님들과 함께 출사 다니면서 유익한 지도를 많이 해주신 사진 선배님들과 동료들께 감사드린다. 특히, 사진 수강과 새벽 출사에 기도로 응원해 주고, 잘 찍었다며 좋은 사진을 선택해 준 가족께 감사드린다.

2024. 7
저자 일동

제1장

기초기능 활용 사진 촬영

(해피 투어 23)

1-1 하이키와 로우키 사진 촬영

일반적으로 사진을 촬영할 때는 적정 노출로 촬영하여야 선명한 이미지의 사진을 얻을 수 있다. 그러나 고의로 적정 노출보다 더 밝은 하이키(high key) 사진과 적정 노출보다 더 어두운 로우키(low key) 사진으로 더 창의적이면서 추상적인 이미지를 표현해 보자.

1. **적정 노출 사진**; 사진에서의 적정 노출은 촬영한 이미지의 밝기와 대조가 적절하게 조정된 상태를 말한다. 적정 노출을 위해서는 다음의 세 가지 요소를 조절해야 한다.

(1) 조리개 (aperture); 카메라 렌즈의 조리개 크기를 조절하여 빛이 들어오는 양을 조절한다. 조리개 수치는 보통 4 이하의 작은 값부터 22 이상까지 숫자로 표시하는데 수치가 커질수록 조리개 면적이 커지는 것으로 조리개가 점점 조여짐을 의미한다.

(2) 셔터 속도 (shutter speed); 카메라의 셔터를 열어서 빛을 이미지 센서에 보내는 시간을 조절한다. 카메라의 셔터 속도 값은 보통 1/8,000초 이하의 작은 값부터 30초 이상의 큰 값까지 있다. 셔터 속도가 빠를수록 촬영 시간이 짧아지고, 더 적은 양의 빛이 이미지 센서에 도달한다.

(3) 감도, ISO (international organization for standardization); 카메라에 사용되는 이미지 센서가 빛에 얼마나 민감하게 반응하는지를 나타낸다. ISO 값은 보통 100 이하의 작은 값부터 12,800 이상의 큰 값까지 있다. ISO를 높이면 더 어두운 환경에서도 촬영할 수 있지만 노이즈가 증가할 수 있다.

(4) 조리개, 셔터 속도, ISO 관계; 일반적으로 사진 촬영할 때 노출 조절에서 조리개와 셔터 속도보다 먼저 ISO를 설정한다. 또 조리개 값이 작아질수록 조리개가 많이 개방되므로 셔터속도 값이 커져야 적정 노출의 사진이 된다.

2. **하이키와 로우키 사진**; 하이키 사진은 부드럽고 밝고 경쾌한 분위기를 주고, 로우키 사진은 비밀스럽고 어둡고 드라마틱한 분위기를 준다.

(1) 조리개 조절; 조리개를 적정 노출 때보다 더 많이 열거나(f 값을 작게) 조리개를 더 조금 열어(f 값을 크게) 하이키와 로우키 사진을 각각 촬영해 보자.

(2) 셔터 속도 조절; 적정 노출 때와 다르게 셔터 속도를 느리거나 빠르게 조절하여 노출을 늘리거나 줄여가며 하이키와 로우키 사진을 촬영해 보자.

(3) ISO 설정; 적정 노출 때 보다 ISO 값을 크게 하여 더 많은 빛을 받아들여 사진을 밝게 촬영해 보자, 또 ISO 값을 작게 하여 더 어둡게 촬영해 보자.

(4) 노출 보정; 카메라가 설정한 노출값을 보통 ±3 stop까지 보정할 수 있으므로 이를 사용해서 원하는 하이키와 로우키 사진을 촬영해 보자.

(5) HDR(high dynamic range) 모드 사용; 명암 차이가 큰 환경에서 밝고 어두운 사진을 각각 촬영하고 결합하여 사진을 만드는 방법이다. HDR 방법으로 하이키와 로우키 사진을 동시에 얻어 보자. (2-5절 HDR 사진 촬영 참조)

(6) 외부 조명 사용; 어두운 환경에서는 플래시나 외부 조명을 이용하여 노출을 조절하면서 고의로 더 밝고 어두운 사진을 촬영해 보자.

[사진 1-1(1)] 적정 노출, 하이키, 로우키 이미지 비교

① 적정 노출, (f11, 1/160, ISO200)

② 하이키, (f31, 1/5, ISO400)   ③ 로우키, (f7.1, 1/250, -1, ISO500)

[사진 1-1(2)] 하이키 이미지

(1) 하이키, (f32, 1/250, +0.33, ISO4,000)

(2) 하이키, (f14, 1/200, ISO400)

(3) 하이키, (f9, 1/320, +1, ISO2500)

(4) 하이키, (f7.1, 1/60, +1, ISO50)

(5) 하이키, (f11, 1/200, +1, ISO1000)

(6) 하이키, (f6.3, 1/40, +1, ISO160)

[사진 1-1(3)] 로우키 이미지

(1) 로우키, (f11, 1/250, ISO250)

(2) 로우키, (f11, 1/2000, ISO100)

(3) 로우키, (f9, 1/200, ISO200)

(4) 로우키, (f22, 1/25, ISO50)

1-2 움직이는 사진 촬영

 카메라의 셔터 속도(shutter speed)를 변화시켜 촬영하면 움직임이 빠르거나 느린 피사체를 원하는 이미지로 나타낼 수 있다.
 빠른 셔터 속도로 촬영해서 피사체의 빠른 움직임 순간을 나타내거나 느린 셔터 속도로 촬영해서 폭포나 파도를 안개처럼 개성 있게 표현해 보자.

1. 속도가 있는 피사체 촬영
 (1) 셔터 속도 조절; 일반적으로 느리게 움직이는 물체를 촬영하려면 셔터 속도를 느리게 하고, 빠르게 움직이는 물체를 촬영하려면 셔터 속도를 빠르게 한다.
 1) 느리게 움직이는 물체는 보통 1/60초 이하의 셔터 속도로 촬영하고, 빠르게 움직이는 물체는 보통 1/500초 이상의 셔터 속도로 촬영한다. 그러나 이 값보다 더 느리거나 더 빠른 속도로 촬영하여 운동하는 물체의 독특한 이미지를 표현해 보자.
 2) 어둡기가 다양한 ND(neutral density) 필터를 사용하면 셔터 속도를 30초 이상 느리게 할 수 있으므로 계곡이나 바다 등에서 물의 흐름을 안개처럼 표현해 보자. 상세한 ND 필터 사용 방법은 2-1절 내용을 참조하자.

① 빠른 셔터 속도, (f11, 1/320, ISO320)　　　② 느린 셔터 속도, (f22, 3.2, -0.33, ISO400)

(2) 연속 촬영과 초점; 빠르게 움직이는 물체는 카메라의 '연속 촬영 모드'를 사용하여 사진을 촬영하면 원하는 이미지를 얻기 쉽다. 또 물체가 움직이는 동안 초점을 유지하는 것이 중요하므로 카메라의 '초점 추적 기능'이나 '연속 자동 초점 기능'을 사용하자.

(3) 삼각대와 릴리즈 사용

 1) 일반적으로 '1/초점거리'보다 느린 셔터 속도로 사진을 촬영할 때, 흔들림이 발생할 수 있으므로 삼각대를 사용하여 촬영하자.

 2) 흔들림을 방지하기 위하여 릴리즈 등을 사용하여 셔터를 누르자.

(4) 적정 노출 유지; 촬영한 사진이 너무 밝거나 어두워질 수 있으므로 조리개, 셔터 속도, ISO를 조정하고, 필요에 따라 보조 광원을 사용하여 적정 노출을 유지하자.

(5) 연습 촬영; 여러 가지 셔터 속도를 사용하면서 원하는 이미지를 얻을 수 있도록 연습한 후 촬영하자.

2. 스포츠 모드 활용 방법; 카메라에 스포츠 모드가 있는 경우 달리기 선수나 자동차 등 빠르게 움직이는 장면을 촬영하는 데 이용해 보자.

(1) 스포츠 모드 설정 (Canon R6 Mark2 매뉴얼 참조)

 1) 카메라 촬영 메뉴에서 모드 다이얼을 돌려 〈SCN〉을 선택하자.

 2) 〈SET〉 설정 버튼을 누르자.

 3) '스포츠 모드'를 선택하자.

(2) 초점과 연속 촬영

 1) '에리어 AF 프레임'을 사용하여 초점을 맞추자. 셔터 버튼을 반누름 하면 에리어 AF 프레임이 나타나고, 피사체에 초점이 맞으면 AF 포인트가 청색으로 바뀐다.

 2) 기본 설정값을 '고속 연속 촬영'으로 하고, 사진을 촬영하고 싶을 때 셔터 버튼을 완전히 누르자. 피사체를 추적하면서 움직임의 변화를 촬영하려면 셔터 버튼을 누른 상태로 유지하여 연속으로 촬영하자.

[사진 1-2(1)] 빠른 셔터 속도 이미지

(1) 빠른 셔터 속도, (f11, 1/2,500, -0.67, ISO1,600)

(2) 빠른 셔터 속도, (f11, 1/1,000, ISO400)

(3) 빠른 셔터 속도, (f4, 1/600, +0.33, ISO200)

(4) 빠른 셔터 속도, (f5.6, 1/2,000, +0.33, ISO500)

(5) 빠른 셔터 속도, (f5.6, 1/2,000, ISO400)

[사진 1-2(2)] 느린 셔터 속도 이미지

(1) 느린 셔터 속도, (f9, 1, -2, ISO400)

(2) 느린 셔터 속도, (f32, 6, ISO200)

(3) 느린 셔터 속도, (f13, 30, ISO50)

(4) 느린 셔터 속도, (f22, 8, ISO100)

(5) 느린 셔터 속도, (f14, 2, ISO500)

(6) 느린 셔터 속도, (f7.1, 1/15, +0.67, ISO400)

1-3 배경이 흐린 사진 촬영

 주제를 강조하고 주변 환경을 부각하지 않으려고 할 때, 단순한 배경을 선택하거나 배경을 흐리게 촬영할 수 있다.
 여러 가지 방법으로 입체적이면서 감성적인 느낌을 줄 수 있는 배경이 단순하거나 흐린 사진을 촬영해 보자.

1. 배경이 흐린 사진 촬영 방법
 (1) 배경이 단순한 피사체 찾기
  1) 가능한 한 피사체의 배경이 단순한 장소나 배경이 어둡거나 단색의 위치를 찾아보자.
  2) 안개, 비, 눈 등의 자연 현상으로 피사체의 배경이 흐린 시간과 장소를 선택하고 이용하자.
 (2) 조리개 열기(작은 f 값)
  1) 카메라의 조리개를 최대한 열어 빛이 많이 들어오게 하고, 피사계 심도를 얕게 하여 배경이 흐린 사진을 촬영해 보자.
  2) f/1.8이나 f/2.8과 같은 작은 f 값을 사용해 촬영해 보자.
 (3) 줌 망원렌즈 사용
  1) 주 피사체와 배경이 가능한 한 멀리 떨어진 위치를 정하자.
  2) 배경을 멀리 보이게 하는 줌 망월 렌즈를 사용하여 배경을 더욱 흐리게 촬영해 보자.
 (4) 초점 조절
  1) 주 피사체와 배경이 가능한 한 멀리 떨어져 있도록 위치를 정하자.
  2) 주 피사체에 초점을 맞추어 사진을 촬영해 배경이 더 흐린 이미지를 만들어 보자.
 (5) 밝은 조명 활용
  1) 밝은 조명을 주 피사체에 비추고 촬영해 보자.
  2) 또는 피사체 부분의 밝은 지점에 '스팟 측광'으로 노출을 맞추어 배경이 어두운 사진을 촬영해 보자.
 (6) 후보정 소프트웨어 사용
  1) 컴퓨터에 후보정 소프트웨어를 다운로드하자.
  2) 후보정 프로그램을 사용하여 배경을 더 흐리거나 부드럽게 만들어 개성 있는 이미지로 표현해 보자.

[사진 1-3(1)] 복잡한 배경과 단순한 배경 이미지 비교

① 복잡한 배경, (f32, 1/160, ISO1,600)　　② 단순한 배경, (f8, 1/250, ISO500)

[사진 1-3(2)] 단순한 배경 이미지

(1) 단순 배경, (f8, 1/100, ISO125)

(2) 단순 배경, (f11, 1/500, ISO500)

(3) 단순 배경, (f2.8, 1/160, ISO6,400)

(4) 단순 배경, (f16, 1/125, ISO500)

(5) 단순 배경, (f13, 1/125, ISO1,250)

[사진 1-3(3)] 흐린 배경 이미지

(1) 흐린 배경, (f-, 1/500, +0.67, ISO800)

(2) 흐린 배경, (f8, 1/160, +0.33, ISO320)

(3) 흐린 배경, (f13, 1/8,000, ISO200)

(4) 흐린 배경, (f8, 1/640, ISO1,000)

(5) 흐린 배경, (f16, 1/25, +0.33, ISO200)

(6) 흐린 배경, (f10, 1/30, +0.33, ISO200)

1-4 특수렌즈 활용 사진 촬영

여러 가지 특수렌즈 활용 촬영은 주로 특정 주제를 폭넓은 시야로 나타내거나 강조하기 위해 사용되는 방법으로 렌즈의 종류에 따라 피사체를 독특한 이미지로 보이게 한다.
여러 가지 특수 렌즈로 촬영하여 흥미로운 이미지로 나타내 보자.

1. 특수렌즈의 종류
(1) 광각 렌즈: 넓은 시야각을 제공하여 넓은 영역을 촬영할 수 있다. 주로 풍경, 건축물 등을 촬영할 때 사용한다. 일반적으로 20mm에서 35mm 사이의 초점 거리를 가진다
(2) 매크로 렌즈: 아주 가까이 있는 작은 대상을 확대하여 세밀하게 촬영할 수 있는데 주로 꽃, 곤충, 작은 물체 등을 촬영할 때 사용한다. 일반적으로 매크로 렌즈의 초점 거리는 40mm에서 200mm 사이인데 초점 거리가 짧을수록 더 가까운 거리에서 대상을 확대하여 촬영할 수 있다.
(3) 어안 렌즈: 많이 왜곡된 원형의 시야각을 제공하여 독특한 효과를 만드는 데 주로 예술적인 목적이나 특별한 효과를 위해 사용한다. 어안 렌즈는 초점 거리 대신 보통 "확대율"로 나타내는데 중심부에서 테두리까지의 이미지 왜곡 정도를 나타낸다.
(4) 반사 망원렌즈; 높은 해상도를 제공하여 세밀한 디테일을 잘 표현하는 반사 망원렌즈는 선명하고 정확한 이미지를 표현할 수 있으며, 큰 광원을 배경으로 사용할 때 아름다운 보케(흐린 배경)를 만들어낸다.
(5) 이 밖에 카메라 렌즈에는 일정한 거리에서도 다양한 화각을 제공할 수 있는 줌렌즈, 깨끗하고 선명한 이미지를 제공하는 단렌즈, 멀리 있는 대상을 가까이서 크게 보이도록 하는 텔레포토 렌즈 등이 있다.

2. 촬영 방법
(1) 촬영 피사체와 렌즈; 촬영하려는 목적과 피사체에 따라 적절한 특수렌즈를 선택하자.
(2) 조리개, 셔터 속도, ISO 값 설정; 적절한 촬영 효과와 노출을 위해 여러 조리개 값, 셔터 속도와 ISO 값을 조합하여 촬영하자.
(3) 촬영 거리와 초점; 렌즈의 최소 촬영 거리를 확인하고, 메크로렌즈는 가능한 한 피사체에 가깝게 접근하여 촬영하고, 줌 렌즈 사용할 때는 최대 망원을 사용하면 피사체가 더욱 크게 보인다.
(4) 광원과 측광; 자연광을 활용하거나 밝고 부드러운 외부 조명을 사용하여 그림자를 줄이고 대상을 잘 밝히자.
(5) 삼각대 사용; 흔들림이나 떨림이 없도록 삼각대를 사용하여 카메라를 안정적으로 고정하는 것이 중요하다.

[사진 1-4(1)] 광각 렌즈 활용 이미지

(1) 광각 렌즈, (f16, 1/200, ISO250)

(2) 광각 렌즈, (f7.1, 1/20, +0.67, ISO400)

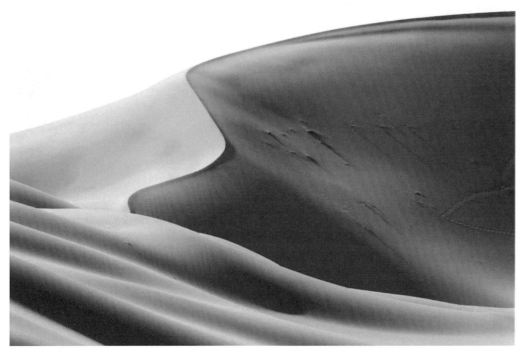

(3) 광각 렌즈, (f13, 1/400, ISO400)

(4) 광각 렌즈, (f18, 1, -0.33, ISO250)

[사진 1-4(2)] 매크로 렌즈 활용 이미지

(1) 매크로 렌즈, (f11, 1/125, -0.67, ISO800)

(2) 매크로 렌즈, (f3.5, 1/640, +1.33, ISO500)

(3) 매크로 렌즈, (f5.6, 1/320, -0.33, ISO200)

(4) 매크로 렌즈, (f11, 1/160, ISO800)

[사진 1-4(3)] 어안 렌즈 활용 이미지

(1) 어안 렌즈, (f9, 1/8, +1, ISO6,400)

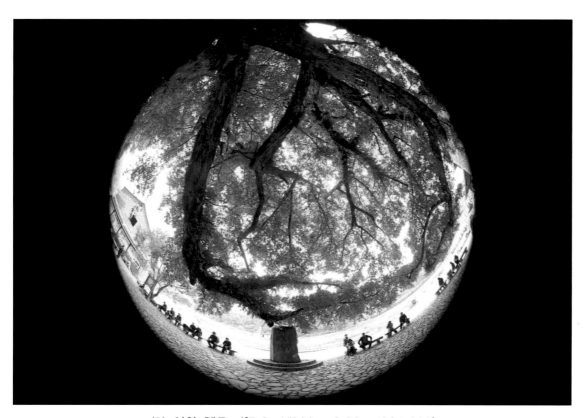

(2) 어안 렌즈, (f5.6, 1/200, +2.33, ISO1,000)

[사진 1-4(4)] 반사망원 렌즈 활용 이미지

(1) 반사망원 렌즈, (f-, 1/800, -0.67, ISO800)

(2) 반사망원 렌즈, (f-, 1/1,000, +0.33, ISO2,000)

(3) 반사망원 렌즈, (f-, 1/500, -0.33, ISO800)

(4) 반사망원 렌즈, (f6.3, 1/400, +0.67, ISO640)

1-5 흔들리는 사진 촬영

일반적으로 사진을 촬영할 때는 흔들리지 않도록 손으로 들고 몸을 고정하거나 삼각대 등을 활용한다.

그러나 카메라의 초점링을 돌리면서 사진을 촬영하는 줌인(zoom in)과 줌아웃(zoom out), 카메라를 움직이면서 사진을 촬영하는 패닝((panning)과 틸팅(tilting), 핸드 헬드(hand held) 등의 방법으로 사진을 촬영하면 새로운 분위기의 사진을 얻을 수 있다.

여러 가지 방법으로 카메라를 움직이면서 촬영하여 창의적인 이미지를 만들어 보자.

1. 카메라를 움직이면서 촬영하는 방법
 (1) 줌인과 줌아웃
  1) 줌인은 피사체에 접근하거나 확대하여 세부적인 부분을 강조하는 데 사용한다.
  2) 줌아웃은 피사체에서 멀어지거나 화면에 나타나는 대상의 범위를 확장하여 전체적인 풍경이나 장면을 촬영하는 데 사용한다.
 (2) 패닝과 틸팅
  1) 패닝은 카메라를 왼쪽 오른쪽으로 움직이거나 피사체가 움직이는 방향과 일치하도록 하면서 촬영하는 방법이다.
  2) 틸팅은 카메라를 위아래로 움직이면서 촬영하는 방법이다.
 (3) 흔들리는 이미지 촬영; 달카메라를 손으로 들고 움직이면서 촬영하거나 달리는 전동차, 자동차, 비행기 안에서 안전을 유지하면서 창밖의 풍경을 촬영하면 재미있는 사진이 될 수도 있다.

2. 촬영할 때 고려할 사항
 (1) 구도; 피사체를 중심으로 확대 또는 축소할 때, 움직일 때 화면에서의 구도와 배치를 고려하면서 촬영해 보자.
 (2) 카메라 안정화; 카메라를 안정적으로 유지하여 흔들림이나 떨림을 방지하자. 이를 위하여 가능하면 삼각대나 안정적인 구조물 등을 활용할 수 있다.
 (3) 조리개, 셔터 속도, ISO, 초점
  1) 예비 촬영을 해보고, 표현하려는 이미지가 만들어질 때까지 적절한 조리개 값, 셔터 속도, ISO를 변경 설정하자.
  2) 가능한 한 적절한 초점을 맞추어 대상을 선명하게 또는 흐리게 촬영해 보자.
 (4) 시간 조절; 이미지를 부드럽게 표현하기 위하여 카메라를 가능한 한 천천히 움직이면서 촬영해 보자.
 (5) 연습 촬영; 원하는 이미지와 효과를 만들어 내기 위해 여러 번의 연습 촬영을 통하여 결과를 보아가면서 촬영하자.

[사진 1-5(1)] 줌인과 줌아웃 이미지

(1) 줌인, (f14, 1/13, ISO200)

(2) 줌아웃, (f22, 1/25, +0.33, ISO100)

[사진 1-5(2)] 패닝과 틸팅 이미지

(1) 패닝, (f10, 1/40, ISO250)

(2) 틸팅, (f10, 1/40, ISO250)

(3) 틸팅, (f8, 1/25, ISO400)

(4) 틸팅, (f25, 1/6, ISO100)

[사진 1-5(3)] 흔들리는 이미지

(1) 흔들림, (f10, 0.4, ISO400)

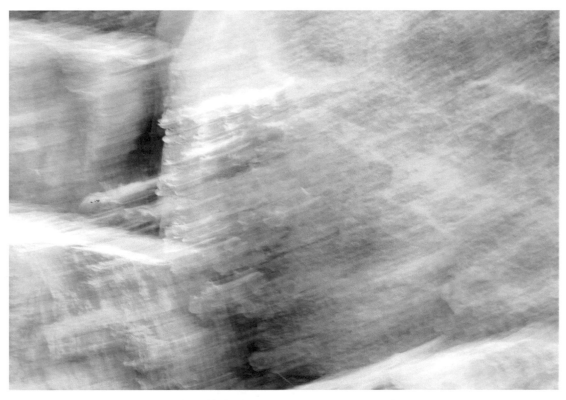

(2) 흔들림, (f22, 1/8, -0.33, ISO200)

(3) 흔들림, (f22, 1.3, ISO400)

(4) 흔들림, (f22, 1/4, ISO400)

1-6 화이트밸런스 활용 사진 촬영

디지털 카메라의 이미지를 사람의 눈으로 직접 보는 것과 같은 색상으로 조절하는 것을 화이트밸런스(white balance)라고 한다. 화이트밸런스를 고의로 다르게 변경하면서 사진을 촬영하여 분위기가 다른 개성적인 이미지를 표현해 보자.

1. 화이트밸런스 조정
(1) 사람의 눈은 자동으로 조절되어 조명에 상관없이 흰색 물체는 항상 흰색으로 보이게 한다. 그러나 디지털 카메라는 렌즈에 들어오는 빛을 그대로 저장하기 때문에 디지털 카메라로 촬영한 이미지는 조명에 따라 물체의 색이 서로 다르게 보인다.
(2) 또, 같은 태양광이라도 새벽에는 푸르게 촬영되고 석양에서는 붉게 촬영되며, 날씨에 따라서도 피사체의 색이 변하므로 촬영 상황에 맞게 화이트밸런스를 조정하여 촬영해야 한다.

2. 화이트 밸런스 적용 사진 촬영(Canon EOS R6 Mark II 매뉴얼 참조)
(1) 보통은 카메라의 촬영 메뉴4에서 자동 메뉴인 [AWB] (분위기 우선)을 선택하거나 [AWBW] (화이트 우선) 설정으로 올바른 화이트 밸런스를 얻을 수 있다.
　1) 자동; 색온도 범위 3,000 ~ 7,000 K에서 자동 설정,
　① [AWB] (분위기 우선)을 선택하면 텅스텐이나 유사한 조명 아래 장면의 분위기를 강조하여 약간 따뜻한 색조의 이미지를 생성.
　② [AWBW] (화이트 우선)을 선택하면 따뜻한 색조가 덜한 이미지를 생성.
(2) 피사체 본래의 색과 분위기로 촬영하려면 아래와 같이 장면에 맞게 화이트밸런스를 설정하여서 촬영하면 되고, 분위기가 다른 이미지로 표현하고 싶으면 고의로 화이트밸런스를 변경하여 촬영할 수도 있다.
　1) 태양광; 색온도 5,200 K
　2) 그늘; 색온도 7,000 K
　3) 흐림, 노을, 일몰; 색온도 6,000 K
　4) 텅스텐광; 색온도 3,200 K
　5) 백색 형광등; 색온도 4,000 K
　6) 플래시 사용 시; 자동으로 설정, 색 온도 전송 기능이 있는 스피드라이트에서 사용 가능(이 기능이 없는 경우에는 색온도가 약 6,000 K로 고정).
　7) [커스컴]; 촬영 장소의 특정 광원에 대한 화이트 밸런스를 수동으로 설정, 색온도 2,000 ~ 10,000 K
　8) [K]; 화이트밸런스 색온도를 나타내는 값을 임의로 설정, 2,500 ~ 10,000 K
(3) 색온도 커스컴 모드 활용과 색온도 보정; 정확하게 화이트밸런스를 맞춰 촬영할 때 사용하며 카메라에 따라 활용 방법과 보정 방법 등이 다르므로 매뉴얼을 참조하여 설정하자.

[사진 1-6(1)] 화이트밸런스 활용 이미지 비교

① 자동, (f9, 1/800, ISO3,200)

② 태양광, (f9, 1/200, ISO800)

③ 그늘, (f9, 1/200, ISO800)

④ 흐림, (f9, 1/200, ISO800)

⑤ 텅스텐광, (f9, 1/160, ISO800)　　⑥ 백색 형광등, (f9, 1/160, ISO800)

[사진 1-6(2)] 여러 가지 화이트밸런스 활용 이미지

(1) 흐림, (f18, 1/160, ISO100)

(2) 그늘, (f5.6, 1/400, ISO400)

(3) 텅스텐광, (f6.3, 1/160, ISO500)

(4) 태양광, (f18, 1/80, +0.33, ISO200)

(5) 흐림, (f20, 1/60, ISO200)

* 교수님 어록(1) *

1. (학기 초) 장비는 잘 바꾸었는데 이제 내가 강의를 잘해야겠지요~

2. 풍경 사진은 처음에 Av 모드로 놓고 촬영하기 시작하는 것이 좋아요~

3. 풍경 사진은 촬영 장소도 중요하지만, 빛과 그림자 등을 고려하여야 하므로
   촬영 시각이 매우 중요하죠 ~

4. 여행용 카메라는 가벼워야 좋아요~

제2장

고급기능 활용 사진 촬영

(거친 풍파를 이기고)

2-1 장노출 사진 촬영

장노출 사진은 카메라의 렌즈를 긴 시간 동안 열어 사진을 촬영하는 방법이다. 장노출 사진은 피사체의 움직임, 조명 효과, 궤적 등을 예술적인 효과를 내거나 특정한 상황을 표현하는 데 사용될 수 있다. ND 필터와 벌브 타이머를 활용하여 여러 가지 장노출 사진을 촬영해 보자.

1. ND 필터의 종류와 사용 방법 익히기
(1) ND 필터 (neutral density filter)는 카메라에 렌즈를 통하여 들어오는 빛의 양을 줄여서 셔터속도를 느리게 하여 장노출 사진을 촬영할 수 있도록 하는 필터이다.
(2) 일반적으로 자주 사용하는 몇 가지 필터와 특성은 다음과 같다.

필터의 종류	빛의 양	노출
ND 8	1/8 감소	3 stop 감소
ND 64	1/64 감소	6 stop 감소
ND 500	1/500 감소	9 stop 감소
ND 1000	1/1000 감소	10 stop 감소

2. 셔터속도 변화 값 결정; 카메라에 ND 필터를 장착했을 때, 셔터 속도 변화표를 참고하거나 스마트폰 앱을 활용하여 설정하자.
(1) 스마트폰에 'ND expert' 앱을 설치하자.
(2) 원하는 장노출 시간에 적합한 필터를 선택하자.
(3) 필터 장착 전 셔터속도에 따라 필터 장착 후 셔터속도가 표시된다.

3. 카메라의 '벌브 타이머' 활용 (Canon EOS R6 Mark II 매뉴얼 참조)
(1) 촬영 준비
1) 삼각대 위에 카메라를 설치하고, AF로 설정하자.
2) Av (또는 M) 모드로 설정하자.
3) 구도를 잡아 사진을 촬영하여 적정 노출로 나오면, 조리개 값과 ISO 값을 기억해 두자. 초점 링이 돌아가지 않게 테이프를 붙이자.
4) AF에서 MF로 전환하고, stabilizer를 off로 전환하자.
5) Av(또는 M) 모드에서 벌브 타이머 모드 'B'로 전환하자. 앞에서 AF로 놓고 촬영할 때와 같은 조리개 값과 ISO 값으로 설정하자.
6) 카메라에 ND 필터를 장착하고, 릴리즈나 벌브 타이머로 셔터속도를 바꾸자.
(2) 벌브 타이머 시간 설정
1) 카메라 촬영 메뉴4 탭에서 [벌브 타이머]를 선택하자.
2) [설정]을 선택하고, 〈INFO〉 정보 버튼을 누르자.
3) ND 필터 장착으로 바꿔줘야 하는 노출시간을 입력하자.

- 시간, 분 또는 초를 선택하고, 〈SET〉을 누르면 〈시, 분, 초〉 입력박스가 표시된다.
- 원하는 숫자를 설정하고 〈SET〉을 누르고 OK를 선택하자..

4. 장노출 사진 촬영
1) 셔터 버튼을 완전히 눌러 촬영을 시작하자.
2) 설정한 시간 동안 계속 촬영이 되며 촬영 중에는 〈timer〉가 깜박인다.
3) 타이머 설정을 취소하려면 '순서 2'에서 [해제]를 선택하거나 릴리즈 스위치를 끄자.

[사진 2-1] 장노출 이미지

(1) 장노출, (f13, 30, +1, ISO100)

(2) 장노출, (f8, 25, +1, ISO320)

(3) 장노출, (f29, 30, ISO50)

(4) 장노출, (f16, 1,985, ISO200)

(5) 장노출, (f16, 2,702, ISO100)

(6) 장노출, (f11, 1,578, ISO160)

(7) 장노출, (f13, 25, ISO160)

(8) 장노출, (f13, 30, ISO160)

2-2 시간 간격 사진 촬영

시간 간격 촬영 즉, 카메라의 인터벌 타이머(interval timer) 기능을 사용하면 설정한 시간 간격과 촬영 매수에 따라 카메라가 사진을 반복하여 촬영하는 방법이다. 느리게 움직이거나 변하는 연속적인 이미지 등을 시간 간격 촬영으로 개성 있게 표현해 보자.

1. 시간 간격 사진의 장점
(1) 과정 시각화: 인터벌 사진은 시간이 지나며 변화하는 과정을 시각적으로 보여줍니다. 예를 들어, 태양의 일몰이나 꽃의 피는 과정 등을 연속적으로 담을 수 있다.
(2) 창의성과 예술성 강화: 시간이 지나는 변화를 담는 것은 예술적인 표현을 확장한다. 창의적인 구도나 라이팅을 활용하여 더욱 흥미로운 작품을 만들 수 있다.
(3) 과학적 연구와 문서화: 인터벌 사진은 과학 연구나 자연 현상의 변화를 문서화하는 데 사용될 수 있다.
(4) 시간 압축: 긴 시간 동안 일어나는 변화를 짧은 비디오나 이미지로 압축하여 보여주어 시간을 효율적으로 관리하고, 복잡한 현상을 간략하게 표현할 수 있다.
(5) 소셜 미디어 및 온라인 콘텐츠: 예쁜 풍경이나 특이한 현상의 변화를 담은 인터벌 사진이 많은 관심을 끌며 공유되기도 한다.

2. 시간 간격 사진 촬영 방법 (Canon EOS R6 Mark II 매뉴얼 참조)
(1) 삼각대를 사용하고, 카메라의 촬영 메뉴7에서 [인터벌 타이머]를 선택하자.
(2) [설정]을 선택하자.
 • [설정]을 선택한 다음, 〈INFO〉 정보버튼을 누른다.
(3) 인터벌과 촬영 매수를 설정하자.
 • 설정할 항목을 선택한다. (시 : 분 : 초 / 촬영 매수).
 • 〈SET〉 버튼을 누르면 인터벌 시간과 촬영 매수 박스가 표시되는데 값을 설정한 다음, 〈SET〉을 누른다.
 • 인터벌; [00:00:01] - [99:59:59]의 범위에서 설정할 수 있다.
 • 촬영 매수; [01] - [99]의 범위에서 설정할 수 있다. 인터벌 타이머를 사용자가 중단할 때까지 계속 작동하게 하려면 [00]을 설정한다.
(4) [OK]를 선택하자.
 • 인터벌 타이머 설정 값(인터벌, 촬영 매수)이 메뉴 화면에 표시된다.
(5) 사진을 촬영하자.
 • 첫 번째 사진이 촬영되고 인터벌 타이머 설정에 따라 촬영이 계속된다.
 • 인터벌 촬영 중에는 [TIMER]가 깜박인다.
 • 설정한 매수의 촬영이 끝나면 인터벌 촬영이 자동으로 중단되고 해제된다.
(6) 인터벌 타이머 촬영을 중단하려면 [해제]를 선택하거나 전원 스위치를 〈OFF〉로 설정한다.

[사진 2-2(1)] 3초 간격으로 촬영한 이미지, (F11, 1/100, ISO50)

① ②

③ ④

⑤ ⑥

[사진 2-2(2)] 1/3초 간격으로 촬영 후 통합한 이미지

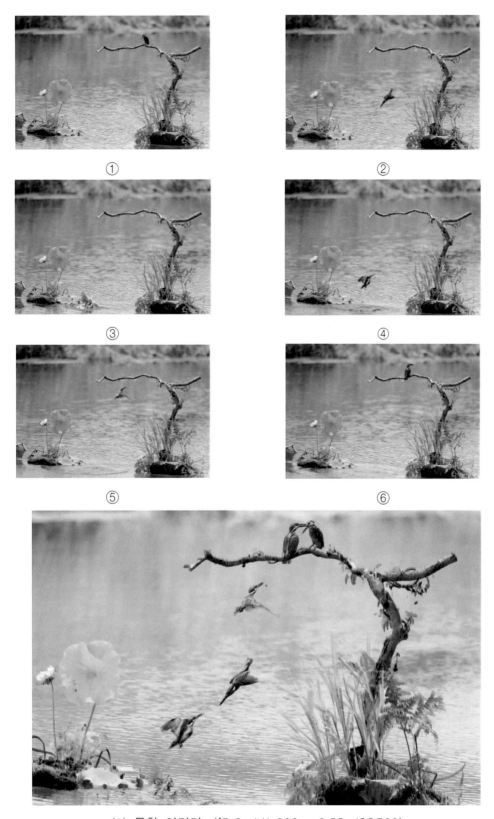

(1) 통합 이미지, (f5.6, 1/1,000, +0.33, ISO500)

[사진 2-2(3)] 여러 가지 시간 간격 촬영 이미지

(1) 시간 간격 20초, 3장, (f10, 1/400, ISO500)

(2) 8분 2초 촬영 1초 쉬기, 2장 (f13, 964, ISO100)

(3) 4분 20초 촬영 1초 쉬기 10장, (f16, 2,600, ISO100)

(4) 시간 간격 0.5초, 6장, (f11, 1/160, ISO400)

(5) 시간 간격 2초, 3장, (f11, 1/125, ISO50)

2-3 다중 노출 사진 촬영

　다중 노출로 사진을 촬영하면 여러 장의 이미지들을 1장의 이미지로 만들어 추상적이며 독특한 느낌을 주는 이미지를 얻을 수 있다.

　다중 노출 방법은 컴퓨터 후보정 프로그램을 이용하는 방법과 카메라에 내장되어 있는 기능을 활용하는 방법이 있는데 여기서는 카메라의 기능을 활용하는 방법을 설명한다. 독창적이고 창의적인 다중노출 이미지 사진을 촬영해 보자.

　1. 다중 노출 사진 촬영하기 (Canon EOS R6 Mark II 매뉴얼 참조)
　(1) 카메라의 촬영 메뉴6에서 [다중 노출]을 선택하자.
　(2) [다중 노출]을 설정하자. 옵션을 선택한 다음 〈SET〉 버튼을 누르자. 다중 노출 촬영을 중지하려면 [해제]를 선택한다.
　　① '기능/조작우선'; 결과 이미지를 확인하면서 점진적인 다중 노출로 촬영할 때 편리한 방법이다.
　　② '연속촬영 우선'; 움직이는 피사체를 다중 노출로 촬영할 때 사용하는 방법이다.
　(3) [다중 노출 제어]를 설정하자. 병합 방법인 '증가', '평균', '밝게', '어둡게' 중 하나를 선택한 다음, 〈SET〉 버튼을 누르자.
　1) 증가; 촬영할 때마다 각각의 노출이 점점 추가되므로 [다중 노출 수]를 기준으로 마이너스 노출 보정을 설정해 주어야 한다. (2회 노출: -1스톱, 3회 노출: -1.5스톱, 4회 노출: -2스톱)
　2) 평균; 촬영할 때 설정한 [다중 노출 수]에 따라 자동으로 마이너스 노출 보정이 설정된다.
　3) 밝게/어둡게; 기본 이미지와 추가된 이미지들의 밝기 (또는 어둡기)를 동일한 위치에서 비교하여 밝은 (또는 어두운) 부분을 유지한다.
　(4) [다중 노출 수]를 설정한 다음, 〈set〉 버튼을 누르자.
　(5) 저장할 이미지를 지정하자.
　1) 각각의 단일 노출과 다중 노출 이미지를 모두 저장하려면 [모든 이미지]를 선택한 다음, 〈SET〉 버튼을 누른다.
　2) 다중 노출 이미지만 저장하려면 [결과만 저장]을 선택한 다음, 〈SET〉 버튼을 누른다.
　(6) [연속 다중 노출] 방법을 선택한 다음, 〈SET〉 버튼을 누르자.
　1) [1매만]; 촬영이 끝난 후 다중 노출 촬영이 자동으로 취소된다.
　2) [연속]; 단계 2의 설정이 [해제]로 지정될 때까지 다중 노출 촬영을 계속할 수 있다.
　(7) 첫 번째 노출을 촬영하자.
　1) [기능/조작우선]이 설정되어 있으면 촬영한 이미지가 나타난다.
　2) [직사각형] 아이콘이 깜박인다.

3) 남은 노출 수는 화면 (1)에 참고용으로 표시된다.

4) 〈►〉 재생 버튼을 누르면 촬영한 이미지를 확인할 수 있다

(8) 다음 노출을 촬영하자.

1) 지금까지 촬영한 이미지들이 병합되어 표시되는데 이미지만 표시되게 하려면 〈INFO〉 버튼을 반복하여 누른다.

2) 설정된 노출 수의 촬영을 마치면 다중 노출 촬영이 끝난다.

2. 카드에 기록된 JPEG 이미지로 다중 노출 병합하기

카드에 기록된 JPEG 이미지를 첫 번째 단일 노출로 선택할 수 있는데 선택한 JPEG 이미지는 손상되지 않고 유지된다.

(1) [다중 노출용 이미지 선택]을 선택하자.

(2) 첫 번째 이미지를 선택하자.

1) 원형의 '퀵컨트롤 다이얼'을 돌려 첫 번째 이미지를 선택한 다음, 〈SET〉 버튼을 누르자.

2) [OK]를 선택하자. 선택된 이미지의 파일 번호가 화면 하단에 표시된다.

(3) 사진을 촬영하자.

1) 첫 번째 이미지를 선택하면 [다중 노출 수]에서 설정한 남은 노출 수에서 1이 감소한다. 다중 노출 촬영에 사용한 JPEG 이미지를 선택할 수도 있다.

2) [선택 해제]를 선택하면 이미지 선택이 취소된다.

[사진 2-3] 다중 노출 이미지

(1) 다중 노출, (f22, 1/8, ISO320)

(2) 다중 노출, (f8, 1/50, ISO800)

(3) 다중 노출, (f16, 1/40, ISO125)

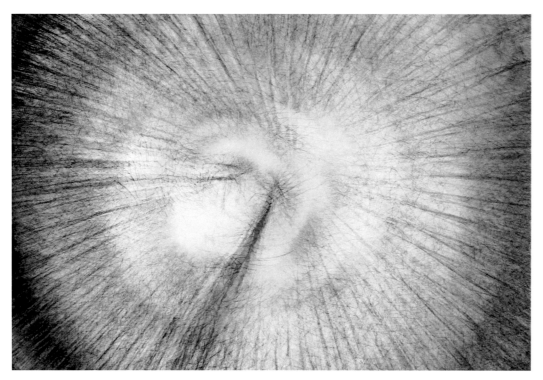

(4) 다중 노출, (f10, 1/2,500, +1, ISO800)

(5) 다중 노출, (f9, 1/100, ISO125)

(6) 다중 노출, (f9, 1/160, ISO250)

(7) 다중 노출, (f16, 1/125, -0.33, ISO100)

(8) 다중 노출, (14, 1/80, ISO160)

(9) 다중 노출, (11, 1/200, ISO800)

2-4 파노라마 사진 촬영

카메라의 종류에 따라 '파노라마 촬영 모드'를 활용하는 방법과 '카메라로 촬영한 사진을 별도의 소프트웨어를 활용하여 붙여서 파노라마 사진을 완성'하는 방법이 있다.
여기서는 파노라마 촬영 모드가 있는 방법을 설명한다. 폭넓게 펼쳐진 아름다운 장면을 파노라마 사진으로 촬영해 보자.

1. 파노라마 사진 촬영 모드 설정(Canon EOS R6 Mark II 매뉴얼 참조)
 (1) 모드 다이얼을 돌려 〈SCN〉으로 설정하고, 〈SET〉 버튼을 누르자.
 (2) 촬영 모드를 ' 파노라마'로 선택하자. 카메라 촬영 모드에서 바로 '파노라마'를 선택할 수도 있다.
 (3) 설정을 확인하자.

2. 파노라마 사진 촬영
 (1) 촬영 방향을 선택하자. [촬영방향 선택] 버튼을 누르거나 우측 하단에 있는 [카메라, 방향 선택] 박스를 탭하여 촬영하려는 방향을 선택하자. 카메라를 움직일 방향을 나타내는 화살표가 표시된다.
 (2).셔터 버튼을 반누름한 상태에서 피사체에 초점을 맞추자.
 (3) 사진을 촬영하자.
  1) 셔터 버튼을 완전히 누른 상태를 유지하면서 카메라를 화살표 방향으로 일정한 속도로 움직이자.
  2) 선명하게 표시되는 영역 (1)이 촬영된다.
  3) 촬영 진행 표시기 (2)가 표시된다.
  4) 셔터 버튼에서 손을 떼거나 촬영 진행 표시기가 흰색으로 변하면 촬영이 중단된다.
 (4) 유의 사항
  1) 카메라를 너무 빠르게 이동하거나 너무 느리게 이동하면 촬영이 중단될 수 있으나 중단되기 전까지 생성된 파노라마 이미지는 저장된다.
  2) 파노라마 모드의 이미지는 크기가 크기 때문에 사진을 인쇄하려고 할 때는 다른 장치를 사용하여 이미지 크기를 미리 줄이는 것이 좋다.
  3) 다음 장면은 파노라마 사진이 촬영되기 어려울 수 있다.
   ① 움직이는 피사체, ② 근접한 거리에 있는 피사체, ③ 콘트라스트가 크게 다른 장면,
   ④ 바다 또는 하늘처럼 동일한 색상이나 패턴으로 이루어진 장면
  4) 초점 거리가 긴 렌즈를 사용하거나, 야경 또는 낮은 조도에서 촬영할 때는 카메라를 더 천천히 움직여야 한다.

3. 일반 카메라로 촬영한 사진을 별도의 소프트웨어를 활용하여 붙여서 파노라마 사진을 완성하는 방법; 부록 1의 '사진 후보정 프로그램 응용'을 참조하자.

[사진 2-4] 파노라마 이미지

(1) 파노라마, (f10, 1, +0.33, ISO80)

(2) 파노라마, (f11, 1/80, ISO400)

(3) 파노라마, (f11, 1/100, ISO200)

(4) 파노라마, (f11, 1/250, ISO400)

(5) 파노라마, (f18, 1/25, ISO250)

(6) 파노라마, (f20, 1/30, ISO200)

(7) 파노라마, (f11, 1/200, ISO1,000)

(8) 파노라마, (f4.5, 1/100, ISO500)

(9) 파노라마, (f5, 1/250, ISO1,250)

(10) 파노라마, (f4.5, 1/250, ISO1,000)

2-5 HDR 사진 촬영

HDR(high dynamic range) 사진 촬영은 일반적으로 '표준 노출', '노출 과다' 및 '노출 부족'으로 촬영된 사진을 결합하여 하나의 HDR 이미지로 만드는 방법이다.

노출 차이가 많이 나는 피사체의 경우 다양한 밝기 범위를 보다 잘 표현할 수 있는 HDR로 촬영해 보자.

1. 카메라 설정 (Canon EOS R6 Mark II 매뉴얼 참조)

(1) 카메라 촬영 메뉴2에서 [HDR 촬영 HDR PQ]를 선택하자. PQ는 인지 양자화(perceptual quantization)를 의미하는데 HDR 이미지를 표시하는 입력 신호의 감마 곡선을 나타낸다.

(2) [설정]을 선택하자. 촬영 및 재생 시 HDR 디스플레이 장치에서 표시되는 방식과 유사하게 변환된 이미지가 화면에 표시된다.

2. HDR 모드로 촬영

(1) [HDR 모드]를 선택하고, [HDR 모드 촬영]을 선택하자.

(2) 옵션을 선택하자.

   1) '피사체 동작' 모드; 움직이는 피사체를 촬영할 때 적합하며 각 촬영에 넓은 범위의 노출에 걸쳐 이미지들이 촬영되고 병합된다.

   2) '다이내믹 레인지' 모드; 풍경 및 정물 촬영에 적합하며 각 촬영에 3매의 이미지를 각각 다른 노출 (표준 노출, 노출부족, 노출과다)로 촬영하고 자동으로 병합한다.

   3) HDR 촬영이 아닌 일반 촬영 시에는 [끄기]를 선택한다.

(3) 셔터 버튼을 완전히 눌러 사진을 촬영하자. 한 번 촬영할 때마다 촬영한 여러 이미지들이 한 장의 HDR 이미지로 병합되어 카드에 기록된다. HDR 이미지는 HEIF나 JPEG 이미지로 촬영되는데, HEIF로 촬영된 이미지는 카메라 또는 후보정 프로그램에서 JPEG로 변환시킬 수도 있다.

3. 최대 밝기 제한; [HDR 촬영 HDR PQ]를 [설정]으로 지정한 경우에만 사용 가능하며, [해제]로 설정하면 최대 밝기가 제한되지 않는다. 1000 니트(nit)를 초과하는 밝기의 모니터에서 이미지를 볼 때 사용한다. [1000 니트]로 설정하면 최대 밝기가 약 1000 nit로 제한된다.

4. 연속 HDR; [1회만]을 선택하고 촬영을 완료하면 HDR 촬영이 자동으로 취소되고, [매회]를 선택하면 [HDR 모드 촬영]을 [해제]로 설정하기 전까지 HDR 촬영이 계속된다.

5. 자동 이미지 정렬; 손에 들고 촬영할 때는 [설정]을 선택하고, 삼각대를 사용할 때는 [해제]를 선택하자.

6. 원본 이미지 저장; 촬영한 3매의 이미지와 결과 HDR 이미지를 모두 저장하려면 [전체 이미지]를 선택하자. HDR 이미지만 저장하려면 [HDR 이미지만]을 선택하자.

(* 더 상세한 설명과 주의 사항 등은 카메라 사용 매뉴얼을 참조하자.)

① 표준 노출, (f13, 1/60, ISO400)

② 노출 부족, (f13, 1/125, ISO100)

③ 노출 과다, (f13, 1/8, ISO400)

④ HDR 노출, (f13, 1/60, ISO400)

[사진 2-5] HDR 노출 이미지

(1) HDR 노출, (f13, 1/1,250, ISO1,250)

(2) HDR 노출, (f7.1, 1/160, +0.33, ISO125)

(3) HDR 노출, (f8, 1/160, ISO250)

(4) HDR 노출, (f13, 1/200, ISO800)

(5) HDR 노출, (f7.1, 1/200, +0.33, ISO125)

(6) HDR 노출, (f16, 1/80, ISO640)

2-6 필터 효과 사진 촬영

카메라의 '필터 효과'를 적용하거나 컴퓨터 후보정 프로그램의 필터 효과를 활용하면 다양한 효과의 디지털 아트적인 이미지로 나타낼 수 있다. 여러 가지 효과의 필터 효과를 적용하여 창의적인 이미지를 표현해 보자.

1. 필터효과 적용 사진 촬영 순서 (Canon EOS R6 Mark II 매뉴얼 참조)
(1) 카메라의 촬영 메뉴4에서 〈필터효과 촬영〉를 선택하고, 〈set〉 버튼을 누르자.
(2) 필터 효과를 선택하자. 〈선택〉 다이얼을 돌려 '2항의 필터 효과별 특성' 10가지 중에서 원하는 효과를 선택한 다음, 〈set〉 버튼을 누르자.
(3) 효과를 조정하고 촬영하자. [Q] 버튼을 누르고 '필터 효과' 아래의 아이콘을 선택하자. 〈선택〉 다이얼을 돌려 효과를 조정한 다음, 〈SET〉 버튼을 누르자.

2. 필터 효과별 사진의 특성
(1) 거친 흑백; 거칠어 보이는 흑백 이미지로 변경되며, 콘트라스트를 조정하여 흑백 효과를 변경할 수 있다.
(2) 소프트 포커스; 이미지가 부드럽게 보이도록 하며, 블러를 조정하여 부드러운 느낌의 정도를 변경할 수 있다.
(3) 어안렌즈 효과; 어안렌즈의 효과를 나타내며, 이미지에 원통 모양의 왜곡이 생기고 필터 효과의 강도에 따라 이미지 주변부를 따라 잘려 나가는 영역이 바뀐다.
(4) 수채화 효과; 부드러운 색상으로 사진이 수채화처럼 보이게 하며, 효과를 조정하여 색의 농도를 변경할 수 있다.
(5) 토이 카메라 효과; 토이 카메라의 전형적인 색상과 함께 이미지의 네 가장자리를 어둡게 표현하며, 색조 옵션을 사용하여 색조를 변경할 수 있다.
(6) 미니어처 효과; 디오라마 효과로 실물을 모형처럼 축소하며, 기본 설정으로 촬영하면 이미지의 중앙이 선명하게 유지된다.
(7) HDR 아트 표준; 하이라이트 영역과 섀도 영역의 디테일이 살아 있는 이미지를 나타낸다. 콘트라스트를 줄이고 계조를 완화하여 사진을 그림처럼 보이게 하며 피사체의 윤곽에 밝거나 어두운 테두리가 생긴다.
(8) HDR 아트 비비드; 색상은 HDR 아트 표준보다 채도가 강렬하며, 낮은 콘트라스트와 약한 계조로 그래픽 아트와 유사한 효과를 나타낸다.
(9) HDR 아트 볼드; 매우 높은 채도로 색상이 강렬해지며 피사체가 눈에 띄고 유화와 같은 느낌을 주는 사진이 된다.
(10) HDR 아트 양각; 채도, 밝기, 콘트라스트 및 계조가 감소되어 이미지가 단조롭고 밋밋하며 오래된 사진처럼 보이며, 피사체의 윤곽에는 밝거나 어두운 굵은 테두리가 생긴다.

3. 컴퓨터 후보정 프로그램의 필터 효과 적용 방법; 부록 1-4를 참조하여 알아보자.

[사진 2-7(1)] 필터 효과별 이미지 비교

① 거친 흑백, (f6.3, 1/125, ISO100)

② 소프트포커스, (f6.3, 1/500, ISO250)

③ 어안렌즈, (f7.1, 1/250, ISO100)

④ 수채화, (f6.3, 1/320, ISO100)

⑤ 토이 카메라, (f6.3, 1/200, ISO3,200)

⑥ 미니어처, (f5.6, 1/30, ISO1,600)

⑦ HDR아트표준, (f6.3, 1/4,000, ISO800)

⑧ HDR아트비비드, (f9, 1/80, ISO1,250)

⑨ HDR아트볼드, (f6.3, 1/4,000, ISO10,000)   ⑩ HDR아트양각, (f5.0, 1/640, ISO1,000)

[사진 2-7(2)] 여러 가지 필터 효과 이미지

(1) 거친 흑백, (f8, 1/320, ISO100)

(2) 어안렌즈, (f10, 1/500, ISO200)

(3) HDR 아트 볼드, (f5.6, 1/1,600, ISO5,000)

(4) HDR 아트 양각, (f5.6, 1/80, ISO12,800)

2-7 초점 브라케팅 사진 촬영

깊은 심도에 초점이 전체적으로 잘 맞는 매우 선명한 사진을 완성하는 방법을 '초점 브라케팅(focus bracketing)'이라고 한다.

카메라의 종류에 따라 '초점 브라케팅' 기능을 활용하는 방법과 '카메라의 초점링을 돌리거나 모니터 터치 방법으로 사진을 촬영하여 프로그램으로 붙이는 방법'이 있다. 여기서는 촬영 거리를 자동으로 변경하여 연속 촬영하는 '초점 브라케팅' 방법으로 앞에서부터 뒤까지 선명한 사진을 촬영해 보자.

1. 초점 브라케팅 촬영 방법(Canon EOS R6 Mark II 매뉴얼 참조)

(1) 카메라의 촬영 메뉴6에서 '초점 브라케팅'을 선택하자.

(2) 초점 브라케팅 [설정]을 선택하자.

(3) [촬영 매수]를 설정하자. 한 번의 촬영당 촬영할 매수를 지정하는 것으로 [2] - [999]의 범위에서 설정할 수 있다.

(4) [초점 증가]를 설정하자. 넓은 화각으로 촬영하는 것이 필요하며, 초점 브라케팅 사용 시 최대 셔터 스피드는 1/8000초이며, 촬영 전 조리개 값을 f/5.6 - 11의 범위에서 설정한다.

 1) 초점의 이동량을 지정하자. 이 양은 촬영 시 조리개 값에 맞게 자동으로 조정되며, 조리개 값이 클수록 초점 이동량도 증가한다.

 2) 설정이 완료되면 〈set〉 버튼을 누르자.

(5) [노출 스무딩]을 설정하자.

 1) [설정]을 선택하면 표시되는 조리개 값과 실제 조리개 값 (유효 f값)의 차이를 보정하여 초점 브라케팅 중에 발생하는 이미지 밝기의 변화를 억제할 수 있다.

 2) 초점 브라케팅 중 이미지 밝기의 변화를 보정하지 않으려면 [해제]를 선택한다.

(6) [심도 합성]을 설정하자.

 1) 카메라에서 심도를 합성하려면 [설정]을 선택한다. 심도가 합성된 이미지와 원본 이미지 모두 저장된다.

 2) 카메라에서 심도를 합성하지 않으려면 [해제]를 선택한다. 촬영한 이미지만 저장된다.

(7) [심도 합성 자르기]를 설정하자.

 1) 합성 정렬에 있어 화각이 충분하지 않은 이미지를 잘라 화각을 보정한 후, 합성하려면 [설정]을 선택한다.

 2) 이미지들을 트리밍하지 않으려면 [해제]를 선택한다.

(8) 삼각대 위에 카메라를 설치하고 사진을 촬영하자.

 1) 촬영한 사진을 새로운 폴더에 저장하려면 [새폴더저장 아이콘]을 탭한 다음, [OK]를 선택한다.

 2) 원하는 초점 범위에서 가까운 단에 초점을 맞춘 다음, 셔터 버튼을 완전히 누른다.

3) 촬영이 시작되면 셔터 버튼에서 손을 뗀다.

4) 카메라가 초점 위치를 무한으로 이동하면서 연속으로 촬영된다.

5) 지정한 매수를 촬영하거나 초점 범위에서 먼 단에 이르면 촬영이 종료된다.

6) 촬영을 취소하려면 셔터 버튼을 다시 완전히 누른다.

(더 상세한 설명은 카메라 사용 매뉴얼을 참조하자.)

2. 다초점(focus stacking) 사진 촬영과 컴퓨터 프로그램으로 이미지 병합 방법; 부록 1
의 '사진 후보정 프로그램 응용'을 참조하자.

[사진 2-6(1)] 일반 촬영과 초점 브라케팅 이미지 비교

① 일반 촬영, (f6.3, 1/200, -0.33, ISO100)

② 초점 브라케팅, (f6.3, 1/200, -0.33, ISO100)

[사진 2-6(2)] 여러 가지 초점 브라케팅 이미지 (20장씩)

(1) 초점 브라케팅, (f6.3, 0.4, ISO50)

(2) 초점 브라케팅, (f6.3, 1/400, ISO100)

(3) 초점 브라케팅, (f6.3, 0.6, ISO50)

(4) 초점 브라케팅, (f6.3, 0.6, ISO50)

2-8 드론 사진 촬영 방법

드론을 사용하여 사진을 촬영하면 새로운 고도와 시각에서 이미지를 보는 흥미로운 장면을 얻을 수 있다. 법규와 안전을 확보하면서 드론 이용하여 다른 각도에서 피사를 표현하는 촬영을 해보자.

1. 드론 사진의 매력
(1) 새로운 시각: 드론을 이용하면 일상적으로는 볼 수 없는 고도에서의 시야를 제공하여 새롭고 흥미로운 관점을 제공한다.
(2) 넓은 범위의 촬영: 드론은 지상에서는 쉽게 접근하기 어려운 넓은 지역의 촬영이 가능하므로 자연경관이나 도시의 풍경을 포괄적으로 담을 수 있다.
(3) 접근이 어려운 지역 촬영: 드론을 통해 산악 지역, 바다, 사막과 같은 사람이 잘 다가갈 수 없는 지역을 탐구하고 촬영할 수 있다.
(4) 미적 감각 강화: 고도에서 촬영하면서 생기는 비대칭성, 패턴, 그리고 자연 현상들은 예술적 표현의 영역으로 확장될 수 있다.
(5) 동적인 요소의 포착: 드론은 축제, 스포츠 경기, 그리고 도심의 활기찬 풍경 등을 공중에서 포착할 때 매우 유용하다.

2 법규, 안전, 조종 연습
(1) 드론을 조종할 때는 해당 국가 또는 지역의 드론 조종법을 준수해야 한다.
(2) 주변 환경 및 다른 사람들의 안전을 고려해야 하며, 공원, 항구, 공항 등의 제한된 지역에 드론을 날리지 않도록 주의해야 한다.
(3) 드론 조종에 대한 기본적인 이해와 조작 방법을 숙지해야 하므로 먼저 안전한 장소에서 연습하는 것이 좋다.

3. 날씨 확인과 촬영 계획
(1) 드론을 날리기 전에 날씨를 확인해야 하는데 바람이 강하거나 날씨가 안정되지 않을 때 드론을 날리는 것은 위험할 수 있다.
(2) 촬영하려는 장소와 주변 환경을 사전에 확인하고 촬영 목적에 맞는 적절한 조명과 시간을 선택하며 촬영할 장면의 구도와 조명을 고려하여 촬영 계획을 세운다.

4. 카메라 설정과 사진 촬영
(1) 일반 카메라와 같이 드론의 카메라의 조리개, 셔터 속도, ISO 등의 설정을 조정하여 적절한 노출과 원하는 사진을 촬영하자.
(2) 일반적으로 HDR 모드와 RAW로 촬영하는 것이 좋다.

5. 사진 촬영과 사후 정리
(1) 드론을 안정적으로 조종하여 원하는 구도와 높이에서 사진을 촬영하고, 장애물에 주의하며, 특히 드론의 배터리 수명을 고려하면서 사진 촬영을 하자.
(2) 촬영한 사진을 컴퓨터로 옮기고, 필요에 따라 보정하여 최종 사진을 완성하자.

[사진 2-8] 드론으로 촬영한 사진

(1) 드론, (f5.6, 1/100, -1.3, ISO100)

(2) 드론, (f7.1, 1/5, -1, ISO200)

(3) 드론, (f5.6, 1/240, -0.3, ISO200)

(4) 드론, (f5.6, 1/320, +1.3, ISO200)

(5) 드론, (f2.8, 1/500, +0.3, ISO100)

(6) 드론, (f3.2, 1/1,000, ISO100)

(7) 드론, (5.6, 1/1,600, -0.3, ISO200)

(8) 드론, (f6.3, 1/500, ISO400)

(9) 드론, (f5.6. 1/20, -1, ISO200)

(10) 드론, (f4.5, 1/160, ISO100)

제3장

사진 포트폴리오

(심신의 평강)

3-1 바다 이미지

 바다에는 넓은 수평선이 있고 등대와 배가 있으며, 해변에는 파도가 치고 바위나 절벽이 있어서 아름다운 풍경을 촬영하기에 매우 매력적인 피사체이다. 특히 일출과 일몰은 사진을 잘 촬영하는 소재 외에도 자연의 아름다움을 경험하고 즐기는 중요한 추억을 만드는 대상이기도 하다. 여러 가지 구도와 촬영 조건을 바꾸어 가면서 자신만의 바다 이미지 사진을 촬영해 보자.

 1. 바다 사진의 매력
 (1) 자연의 아름다움: 바다는 그 자체로 아름다운 자연의 산물이다. 파도, 해안, 해양 생물 등 자연의 다양한 특징들이 매력적인 풍경을 만들어낸다.
 (2) 평온과 안정감: 바다는 종종 평화롭고 안정감 있는 분위기를 전해준다. 파도 소리와 함께 바라보는 바다는 많은 사람들에게 진정한 휴식과 평온을 선사한다.
 (3) 다양한 색감과 조명: 바다는 시간대에 따라 다양한 색조와 빛깔로 변한다. 일출과 일몰 시간에는 화려한 오렌지와 핑크빛으로 물을 물들이고, 밤에는 달빛이 바다 위를 비춰서 로맨틱한 분위기를 연출한다.
 (4) 몽환적인 분위기: 바다는 종종 몽환적이고 신비로운 분위기를 자아낸다. 안개, 구름, 먼지 등이 섞여 있을 때 바다는 특히 더욱 신비롭고 로맨틱한 분위기를 연출한다.
 (5) 활동과 생활의 다양성: 바다는 수상 스포츠, 낚시, 해변에서의 산책 등 다양한 활동을 즐길 수 있는 장소이다. 이러한 다양한 활동은 사진에 독특하고 다채로운 요소를 제공한다.

 2. 적절한 촬영 시간과 장소
 (1) 일출 또는 일몰, 새벽과 야간에 바다를 촬영해서 색온도가 다른 여러 가지 느낌의 아름다운 풍경을 촬영해 보자. 일출이나 일몰 시각 전후부터 촬영하면 하늘의 색과 대비 변화까지 볼 수 있다.
 (2) 일출이나 일몰 전에 촬영 지점을 미리 확인하자. 촬영 위치와 주변 환경을 파악하여 최상의 구도를 선택하고, 태양이 떠오르거나 지는 장면에서는 태양의 위치와 그림자가 어떻게 변하는지 관찰하고 이를 활용하자.

 3. 촬영 장비와 사진 구도
 (1) 준비물; 카메라로 넓게 보이는 바다 풍경을 촬영할 때는 삼각대를 사용하여 카메라를 안정시켜 촬영하자. 느린 셔터 속도로 촬영할 때는 카메라 안정이 더욱 중요하다. 필요하다면 ND 필터를 사용하여 너무 밝은 빛을 조절하여 적절한 노출을 얻을 수 있다.
 (2) 구도; 흔히 사용하는 사진 구도로 가로를 3등분 하고, 하늘을 적당한 양으로 차지하도록 조절해 보면 하늘, 바다, 지평선이 각각 적절한 비율로 나타난다. 또 보통은 눈높이에서 촬영하지만, 파도는 낮은 각도에서 촬영하는 것이 더욱 역동적인 사진이 되기도

한다.

4. 구조물 활용; 사진을 찍을 때 바다와 하늘이 선명하게 보이도록 가능한 한 주변에 장애물이 없는 곳을 선택하자. 그러나 사진 속에 사람, 갈매기, 배, 구조물 등이 포함되어도 아름다운 사진을 만들 수 있다.

5. 노출 조절
(1) 대비가 강한 장면에서는 HDR 촬영으로 하이라이트와 쉐도우를 모두 잘 촬영할 수 있도록 노출을 조절하자. 촬영하려는 장면에 따라 다른 노출 설정을 적용해 보자.
(2) 해가 떠 있는 상황에서는 하늘과 바다 사물 사이에 큰 조도 차이가 발생할 수 있다. 이를 조절하기 위해 HDR이나 ND 필터 등을 활용하면 더 균형 있는 조도를 유지할 수 있다.

6. 바닷물이나 구름의 움직임: 파도와 구름 등의 움직임을 느린 셔터 속도나 장노출로 촬영하면 사물의 움직임이 블러 처리되어 부드러운 느낌을 줄 수 있고, 빠른 셔터 스피드로 찍으면 움직임을 정확하게 촬영할 수 있다.

[사진 3-1] 바다 이미지

(1) 바다, (f10, 1/640, ISO500)

(2) 바다, (f6.3, 1/800, -0.67, ISO200)

(3) 바다, (f22, 1/400, ISO400)

(4) 바다, (f32, 1/100, ISO800)

(5) 바다, (f32, 1/15, ISO125)

(6) 바다, (f22, 1/8, ISO100)

(7) 바다, (f22, 0.5, ISO100)

(8) 바다, (f32, 1/15, ISO100)

(9) 바다, (f20, 1/80, ISO100)

(10) 바다, (f8, 1/500, ISO50)

(11) 바다, (f7.1, 1/750, -0.67, ISO200)

(12) 바다, (f9, 1/1,000, -0.33, ISO200)

(13) 바다, (f11, 1/200, ISO1,600)

3-2 물방울 이미지

물방울 사진 촬영은 아름다운 소재이며 재미있는 창작 활동이다. 물방울은 빛을 반사, 굴절, 회절, 분산시키므로 여러 가지 창의적인 효과를 나타낼 수 있다.
자연에서 아름다운 물방울을 발견하고 인공적으로 만들어가며 촬영해 보자.

1. 광원과 배경 선택
(1) 광원; 자연광을 활용하여 물방울에 반사되는 빛을 살릴 수 있는데 창가 등 자연광이 잘 들어오는 장소에서 촬영하자.
(2) 배경은 단순하고 깨끗하게 유지하여 물방울이 잘 나타나도록 흐린 배경 또는 검은색 등으로 하는 것이 좋다.

2. 카메라 설정
(1) 조리개 값; 카메라의 조리개를 많이 열고(f 값을 작게 설정), 물방울과 배경을 멀리 떨어지게 위치하여 배경을 흐리게 촬영해 보자. 보통 f/2.8에서 f/5.6 사이의 값을 많이 사용한다.
(2) 셔터 속도와 ISO; 1/200초 이상의 빠른 셔터 속도를 선택하여 물방울의 순간적 모양을 촬영하자. ISO는 100 또는 200 정도를 설정하여 노이즈를 줄이면서 촬영해 보자.

3. 물방울 만들기
(1) 물방울은 자연적인 이슬이나 빗방울도 있고, 인공적으로 만들 수도 있다.
(2) 물방울을 어떻게 만드느냐에 따라 다양한 효과를 얻을 수 있다. 스펀지, 스프레이, 병 또는 물방울 장치 등을 사용하여 물방울을 만들 수 있고, 물방울 모양이 잘 만들어지도록 글리세린을 혼합하기도 한다.
(3) 조명 사용; 적절한 조명을 사용하여 여러 각도에서 촬영하면 보다 다양한 반사와 굴절 등 광학적 효과를 나타낼 수 있다.

4. 매크로 렌즈 또는 망원 렌즈와 삼각대 사용
(1) 물방울을 근거리에서 촬영할 때는 매크로 렌즈가 유용한데 작은 세부 사항을 뚜렷하게 촬영할 수 있다. 망원 렌즈를 사용하여 먼 거리에서 물방울을 촬영 확대하여 더 많은 세부 사항을 가진 사진을 촬영할 수 있다.
(2) 삼각대 사용; 물방울 사진은 정밀하고 순간적인 장면을 촬영해야 하므로 삼각대를 사용하자.

5. 창의적인 구성; 다양한 각도와 구도에서 촬영하여 창의적인 사진을 만들어 보고, 반사와 광학적 효과를 최대한 활용하자. 주변에 다른 물체를 놓아 창의적이고 흥미로운 구성으로 표현 해보자.

[사진 3-2] 물방울 이미지

(1) 물방울, (f11, 1/125, ISO1,250)

(2) 물방울, (f4, 1/500, ISO400)

(3) 물방울, (f5.6, 1/125, ISO320)

(4) 물방울, (f5.6, 1/5,000, ISO1,600)

(5) 물방울 (f5.6, 1/60, ISO1,000)

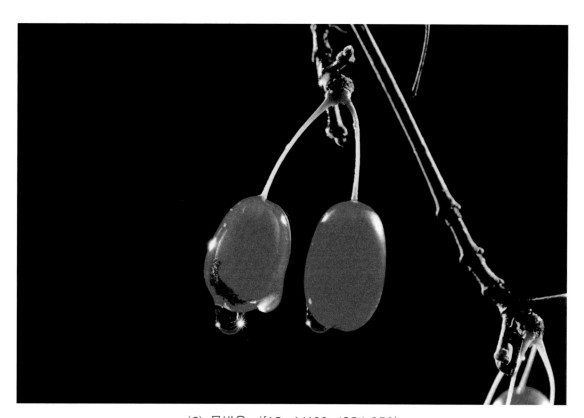

(6) 물방울, (f18, 1/400, ISO1,250)

(7) 물방울, (f8, 1/125, ISO400)

(8) 물방울, (f8, 1/100, ISO500)

(9) 물방울 (f2.8, 1/60, +1, ISO1,000)

(10) 물방울, (f18, 1/400, ISO1,250)

3-3 설경 이미지

눈을 잘 찍는 것은 아름다운 풍경을 담아내는 것과 함께 촬영자의 의도와 느낌을 잘 표현하는 것이 필요하다. 눈이 내린 아름다운 풍경과 여러 가지 이미지를 촬영해 보자.

1. 설경 촬영 조건과 방향
(1) 눈을 촬영할 때 보통은 자연광을 이용하는데 강하고 선명한 빛은 눈을 반사할 수 있으므로 햇빛이나 창가 근처에서 촬영하거나 필요에 따라 연한 조명을 사용하자.
(2) 눈은 보통 정면이나 약간 측면에서 촬영하는 것이 자연스럽고, 너무 위에서 내려다보거나 아래에서 올려다보는 것보다 눈의 라인에 평행한 각도로 촬영하자.
(3) 설경 사진을 촬영하기 전에 어느 위치에서 어느 시간에 촬영할지 결정해야 합한다. 일출 또는 일몰 시각 전후가 보다 매력적인 색상의 풍경을 제공한다.

2. 초점과 렌즈
(1) 눈의 상세성을 잘 살리기 위해 초점을 잘 맞춰야 하는데 대부분의 카메라나 휴대전화는 자동 초점 기능을 갖추고 있으므로 눈을 화면 중앙에 위치시키고 촬영하자.
(2) 그러나 수동으로 초점을 맞추려면 더욱 상세한 조절이 가능하다.
(3) 설경 사진을 촬영할 때 광각 렌즈를 사용하면 넓은 풍경을 잘 나타낼 수 있다.

3. 배경 처리와 구도
(1) 배경; 눈을 강조하기 위해서 너무 복잡하거나 분산된 배경은 주의를 산만하게 할 수 있으므로 단순한 배경으로 촬영해 보자. 경우에 따라서 파스텔톤의 배경이 자연스러운 눈의 색상을 두드러지게 할 수 있다.
(2) 구도; 보통은 눈을 구도의 중앙에 위치하는 것이 좋지만 창의적인 구도를 통하여 사진 속의 눈이 작가의 느낌과 감정을 강조할 수 있다.

4. 카메라 설정과 촬영
(1) 카메라 설정; 여러 가지 촬영 모드와 설정을 선택하여 더욱 좋은 사진을 촬영해 보자. 특히 눈이 밝고 희게 나타날 수 있도록 1~2 stop 보정해 주기도 한다. 그러나 설경을 촬영할 때는 과도한 밝기를 피하기 위해 적당한 노출 보정이 필요할 수 있다.
(2) 촬영; 조리개, 셔터 속도, ISO, 화이트 밸런스 등을 변경해 가며 나만의 색상과 상세함을 잘 나타낼 수 있도록 촬영해 보자. 일반적으로 설경을 촬영할 때는 더 넓은 조리개(작은 f값)와 느린 셔터 스피드를 사용하여 더 많은 빛을 받게 한다.

5. 후보정과 연습; 눈 사진을 촬영한 후에는 후보정을 통해 색감 보정, 선명도 조절 등을 할 수 있다. 다양한 방법으로 눈 사진 촬영을 하고, 연습하면서 자신만의 스타일을 개발해 나가는 것이 중요하다.

[사진 3-3] 설경 이미지

(1) 설경, (f11, 1/80, +0.33, ISO50)

(2) 설경, (f18, 1/320, +0.67, ISO640)

(3) 설경, (f14, 1/80, ISO50)

(4) 설경, (f11, 1/50, +0.33, ISO200)

(5) 설경, (f18, 1/160, +0.67, ISO400)

(6) 설경, (f11, 1/50, +1, ISO400)

(7) 설경, (f22, 1/60, +0.33, ISO800)

(8) 설경, (f7.1, 1/100, +0.33, ISO125)

3-4 반사 이미지

물, 거울, 금속 표면 등에 반사된 이미지는 추상적이고 흥미로운 모양으로 사진 촬영의 재미있는 소재의 하나이다. 이와 같이 여러 사물에 반사된 이미지를 찾아 개성적인 사진 촬영을 해보자.

1. 반사 이미지 관찰
(1) 생활 주변에서 반사되는 표면을 찾아보자. 물 반영은 원하는 수면이 있는 적절한 장소를 선택하는데 호수, 강, 바닷가 또는 비 오거나 적당한 양의 물이 있는 곳일 수 있다.
(2) 거울, 호수, 강, 비 오는 날 도로 위의 물웅덩이 등에서 반사된 여러 가지 이미지 주변 풍경을 함께 촬영해 보자. 반영 촬영을 위해서는 가능한 한 안정적인 표면을 사용해야 하는데 바람이 강하거나 물결이 심하면 반영이 흐려질 수 있다.

2. 광원
(1) 촬영 시간과 광원은 반사 이미지의 성질에 큰 영향을 주는데 자연광이 아름다운 반사 이미지를 만들어낸다. 밝은 햇빛이나 적당한 조명 설정을 사용하여 반영을 강조할 수 있다.
(2) 태양이 떠오르거나 지는 시간이나 햇빛이 부드럽고 강렬하지 않은 구름이 많은 날이 적합할 수 있다.

3. 반사 이미지와 실제 풍경 혼합
(1) 이미지 구성; 반사된 이미지와 실제 풍경을 함께 촬영하면 색다른 효과를 얻을 수 있는데 이러한 방법으로 더 창의적인 사진을 촬영할 수 있다.
(2) 창의성; 또 반사된 이미지를 보다 강조하기 위해 극단적인 각도나 구도를 활용하여 창의적인 구성을 할 수 있다.
(3) 물 반영; 특히 물 반영이 있는 사진에서는 대상과 반영 모두에 중점을 둬야 한다. 대상과 반영의 세부 사항을 주의 깊게 촬영하면 멋진 결과물을 얻을 수 있다.

4. 매크로 촬영
(1) 작은 이미지; 반사 이미지가 작고 상세한 촬영을 하려면 매크로 렌즈나 매크로 모드를 사용하면 좋다.
(2) 먼 이미지; 멀리 떨어진 풍경이나 반사 이미지는 망원렌즈나 표준렌즈를 사용하여 촬영할 수 있다.

5. 후보정; 촬영한 사진을 보정하여 필요한 조정을 할 수 있으므로 밝기, 대비, 색상 밸런스 등을 조절하여 원하는 이미지를 완성해 보자.

[사진 3-4] 반사 이미지

(1) 반사, (f11, 1/80, +0.67, ISO500)

(2) 반사, (f11, 1/125, ISO3,200)

(3) 반사, (f11, 1/125, ISO500)

(4) 반사, (f11, 1/180, ISO1,250)

(5) 반사, (f22, 1/80, ISO200)

(6) 반사, (f11, 1/50, +0.33, ISO200)

(7) 반사, (f8, 1/100, -0.67, ISO1,000)

(8) 반사, (f4, 1/2,000, ISO400)

(9) 반사, (f11, 1/80, +0.33, ISO50)

(10) 반사, (f11, 1/40, ISO100)

3-5 디지털 아트 이미지

디지털 아트(digital art)란 주로 컴퓨터와 같은 전자 장치를 사용하여 만들어지는 예술작품을 의미하는데 디지털 아트 사진은 다양한 종류의 그래픽 소프트웨어를 사용하여 만들어질 수 있다. 이와 같이 여러 사진을 디지털 아트 방법을 통하여 개성적인 이미지로 창작해 보자.

1. 디지털 아트 사진의 매력
(1) 창의성의 표현: 디지털 아트 사진은 창작자의 상상력과 창의성을 자유롭게 발휘할 수 있는 분야로 디지털 그래픽 소프트웨어를 사용하면 현실적인 제약을 넘어서 다양한 아이디어를 시각적으로 구현할 수 있다.
(2) 비주얼 효과: 디지털 아트 사진은 사실적인 이미지를 만들거나 상상 속의 세계를 표현할 때 매우 유용하다.
(3) 융합과 실험: 디지털 아트 사진은 전통적인 사진 형식과 디지털 기술을 결합하여 새로운 형태의 예술을 탐구하는 실험적인 작업 영역이다.
(4) 이 밖에도 디지털 아트 사진은 대중성과 접근성이 용이하고, 정적인 이미지에 동적인 요소를 추가할 수 있다.

2. 디지털 아트 사진의 주제
(1) 디지털 아트 사진은 창작자의 상상력과 관심사에 따라 다양한 주제와 대상을 다룰 수 있다.
(2) 인물, 자연 풍경, 사물, 추상적 개념, 문화적 요소 등 디지털 아트의 특성상 거의 모든 것이 대상이 될 수 있으며, 창작자의 상상력과 관심사에 따라 다양한 주제와 대상을 다룰 수 있다.

3. 디지털 아트 사진을 만드는 방법
(1) 디지털 그래픽 소프트웨어 준비: 디지털 아트를 만들기 위한 포토샵 등의 그래픽 소프트웨어를 선택하고 준비한다.
(2) 이미지 선택 또는 사진 촬영: 디지털 아트를 만들기 위한 기초 이미지를 선택하 거나, 필요에 따라 카메라로 사진을 촬영한다.
(3) 이미지 편집: 선택한 이미지를 그래픽 소프트웨어에서 열고 기초적인 색조, 밝기, 명암, 채도 등의 조정을 한다.
(4) 디지털 아트 작업: 선택한 이미지 위에 그림, 일러스트레이션, 텍스처 등 직접 그림을 그리거나 소프트웨어의 도구를 사용하여 그림을 만들 수 있다.
(5) 이미지 완성; 레이어를 조정하거나 필터를 적용하여 이미지를 더욱 풍부하게 만들 수 있다.
(6) 창의성 발휘; 촬영자의 목적에 따라 다양한 기술과 방법을 응용할 수 있다.

[사진 3-5] 디지털 아트 이미지

(1) 디지털 아트, (f11, 1/125, ISO1,250)

(2) 디지털 아트, (f14, 1/125, ISO200)

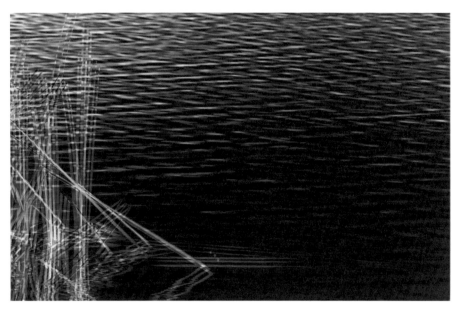

(3) 디지털 아트, (f11, 1/125, ISO1,250)

(4) 디지털 아트, (f16, 1/125, ISO100)

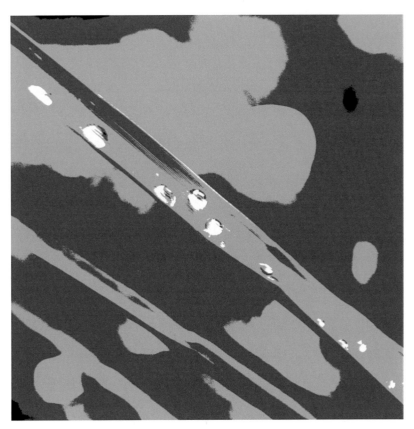

(5) 디지털 아트, (f2.8, 1/320, ISO100)

(6) 디지털 아트, (f16, 1/80, ISO100)

(7) 디지털 아트, (f11, 1/125, ISO100)

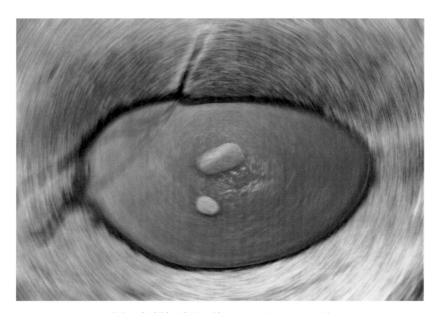

(8) 디지털 아트, (f4, 1/160, ISO400)

(9) 디지털 아트, (f13, 1/80, ISO160)

(10) 디지털 아트, (f16, 1/80, ISO125)

3-6 야경 이미지

야경 사진은 예술적이고 아름다운 결과물을 얻을 수 있는 촬영 분야 중 하나이다. 야경 사진 촬영에서 적절하게 조명과 셔터 스피드 등을 조절하면 더 높은 품질의 사진을 얻을 수 있다. 여러 시간과 장소에서 아름다운 야경 사진을 촬영해 보자.

1. 적절한 장비
(1) DSLR 또는 미러리스 카메라를 사용하여 더 높은 품질의 야경 사진을 촬영해보자.
(2) 특히 야경에 있는 인물을 밝고 아름답게 촬영하려면 사용하는 카메라에 [야경 인물] 모드가 있으면 활용해 보자.

2. 셔터 속도; 야경 사진에서는 적절한 셔터 속도를 설정하는 것이 중요하다. 보통 몇 초에서 몇 분까지의 긴 셔터 속도를 사용한다. 셔터를 짧게 설정하면 사진이 어두워질 수 있으므로, 충분한 노출을 위해 적절한 셔터 속도를 선택하자.

3. 조리개; 조리개를 많이 열어 (작은 f 값) 더 많은 빛을 받게 하여 야경 사진을 밝게 만들어 보자. 일반적으로 f/4 ~ f/8 사이의 값을 사용해 보자.

4. ISO 설정과 초점; ISO 값을 낮게 설정하여 노이즈를 최소화하자. 보통 ISO 100 또는 200 수준을 사용한다. 촬영 시 피사체가 너무 어두워 자동 초점(AF)이 어려우면 초점 모드를 수동 초점(MF)로 설정하고 수동으로 초점을 맞추고 촬영해 보자.

5. 릴리즈 또는 타이머 사용; 셔터를 누르는 동안의 진동을 방지하기 위해 릴리즈 또는 카메라의 내장 타이머를 사용하자.

6. 피사체 설정과 조명
(1) 렌즈; 넓은 야경을 담을 수 있도록 최대 광각을 사용하자.
(2) 피사체; 건물, 다리, 도시 스카이라인 등의 피사체를 적절히 프레임 안에 위치시키고 조명과 촬영 위치 등을 잘 조절하여 흥미로운 사진을 만들어 보자.

7. 예비 촬영; 촬영 후에 바로 촬영된 이미지를 재생하여 이미지의 밝기를 확인하고 피사체가 너무 어둡게 보이는 경우에는 좀 더 가까이에서 다시 촬영해 보자. 또 다양한 조리개, 셔터 스피드 및 ISO 설정을 시도하고 여러 각도와 조명 조건에서 사진을 촬영해 보자.

8. 후보정; 필요에 따라 밝기, 대비 및 색상을 원본 사진에 손상이 안가는 정도로 최소한으로 조절하자.

[사진 3-6] 야경 이미지

(1) 야경, (f9, 2, -2, ISO250)

(2) 야경, (f10, 1.3, -1.67, ISO400)

(3) 야경, (f5, 1/50, ISO8,000)

(4) 야경, (f4, 1/4, ISO800)

(5) 야경, (f4, 120, ISO800)

(6) 야경, (f8, 0.4, +0.33, ISO800)

(7) 야경, (f4, 1/25, ISO32,000)

(8) 야경, (f4.5, 1/60, ISO10,000)

(9) 야경, (f6.7, 30, ISO100)

(10) 야경, (f10, 4, -1.67, ISO400)

3-7 별과 오로라 이미지

 은하수, 별의 일주 운동과 오로라를 촬영하기 위해서는 여러 요소를 고려하여 촬영을 계획하고 실행해야 한다. 오로라(북극광, aurora)는 매우 아름다운 자연현상이지만 촬영하기가 쉽지 않은 장면일 수 있다. 이러한 촬영은 어느 정도 전문적인 기술과 장비가 필요할수 있으므로 처음부터 완벽한 결과를 기대하기보다는 경험을 쌓고 연습을 통하여 점점 더좋은 이미지를 얻으려는 마음으로 촬영하자.

 1. 장비 준비
 (1) 카메라와 삼각대; DSLR 또는 미러리스 카메라 등 품질 높은 사진을 촬영할 수 있는 카메라가 필요하며, 카메라를 안정적으로 고정하여 흔들림을 최소화하는 삼각대, 카메라를 움직이지 않고 셔터를 작동시키는 데 사용하는 릴리즈 또는 타이머가 필요하다.
 (2) 렌즈; 원하는 화각과 확대를 얻기 위해 적절한 렌즈나 망원경 등을 준비하자.
 2. 장소와 시간 선택
 (1) 빛 차단; 도시 조명이 적은 어두운 장소를 선택하고, 은하수가 가장 잘 보이는 가을이나 겨울과 시간을 고려하자.
 (2) 장소; 오로라는 나타날 가능성이 높은 지역으로 가야 하는데 주로 북극 또는 남극지역에서 볼 수 있지만 오로라가 발생하는 보이는 극지방에 가까운 지역도 있다.
 3. 촬영 설정;
 (1) ISO; 낮은 ISO 값을 사용하여 노이즈를 줄여야 하는데 보통 800에서 3200 사이의 값을 설정하자.
 (2) 조리개; f/2.8 또는 f/4로 설정하자. 더 넓은 조리개가 더 많은 빛을 받을 수 있다.
 (3) 셔터 속도; 별의 궤적을 모으기 위해 긴 노출 시간이 필요하므로 20초에서 몇 분까지 설정하자. 오로라는 10~30초 (오로라가 활발할 때 더 짧은 셔터 스피드를 사용)로 설정한다.
 (4) 화이트 밸런스; 은하수와 별의 색을 정확하게 표현하기 위하여 적절한 화이트 밸런스를 설정하자.
 (5) 초점; 수동 초점을 사용하여 카메라를 별이나 오로라에 맞게 조절하며, 무한 초점을 사용해도 좋다. 야간에는 자동 초점이 작동하지 않을 수 있으므로 수동으로 조절하는 것이 좋다.
 4. 사진 촬영;
 (1) 삼각대에 카메라를 고정하고 촬영을 시작하자. 여러 장의 사진을 촬영하고, 촬영 간격 동안 삼각대를 이동하지 않도록 주의한다.
 (2) 오로라가 활발할 때는 촬영 간격을 짧게 하고, 촬영 중에도 적절한 조절을 하면 더좋은 결과물을 얻을 수 있다.
 5. 후보정; 후보정 소프트웨어를 사용하여 밝기, 대비, 색상 등을 조정하며, 별의 궤적을더 나타내기 위하여 소프트웨어를 사용하여 여러 장의 이미지를 합성할 수 있다.

[사진 3-7] 별과 오로라 이미지

(1) 별, (f4, 15, ISO6,400)

(2) 별, (f2.8, 3.5, ISO25,600)

(3) 별, (f2.8, 4.1, ISO25,600)

(4) 별, (f13, 1/4, +0.33, ISO800)

(5) 별, (f3.5, 5.5, ISO25,600)

(6) 별, (f4.5, 51, ISO5,000)

(7) 별, (f6.7, 17, ISO20,000)

(8) 별의 일주 운동

(9) 별의 일주 운동

(10) 별의 일주 운동

(11) 별의 일주 운동

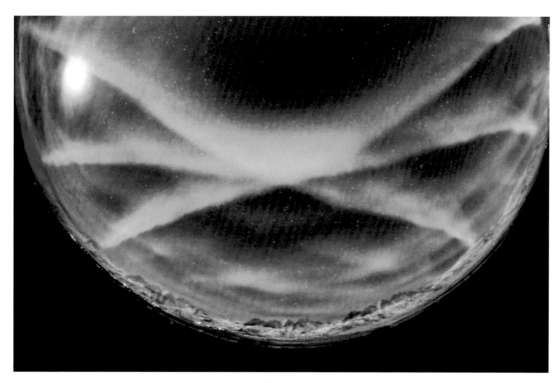

(12) 오로라, (f4, 7.3, ISO4,000)

(13) 오로라, (f5, 2.6, ISO25,600)

(14) 오로라, (f4, 7.2, ISO3,200)

(15) 오로라, (f4, 5, ISO16,000)

(16) 오로라, (f4.5, 7.7, ISO1,600)

3-8 갯벌 이미지

갯벌은 자연의 아름다움을 보여주는 곳으로 갯벌 사진은 서정적이고 매력적이면서도 독특한 이미지를 표현할 수 있다.
개성적인 사진을 촬영하여 독창적인 감성을 나타내 보자.

1. 갯벌 사진의 매력
(1) 독특한 풍경과 지형: 갯벌은 수심이 낮고 물이 빠져나간 지역으로 독특한 지형을 가지고 있어서 갯벌의 바닥, 조약돌, 물살이 흐르는 모습 등이 독특하게 나타나는 곳이다
(2) 변화와 다양성: 갯벌은 조금씩 변하는 조명이나 수면 상태에 따라 완전히 다른 풍경을 보여줄 수 있어서 매력적인 특성으로 드러난다.
(3) 자연과 사람의 상호작용: 갯벌은 사람의 영향을 받는 지역 중 하나로 사진 속에서는 자연과 사람의 상호작용이 드러나며 보존의 중요성을 강조하는 메시지를 전달할 수 있다.
(4) 고요와 평온함의 느낌: 갯벌은 조용하고 고요한 분위기를 느낄 수 있는 곳으로 갯벌에서 촬영한 사진은 관람자에게 평온함과 안정감을 전달할 수 있다.
(5) 다채로운 생물: 갯벌은 다양한 해안 생물들이 서로 다른 생태계를 형성하는 곳으로, 조개, 게, 바닷물고기, 해조류 등이 갯벌에서 서로 다른 생태학적 역할을 하며 함께 공존하는 모습은 매우 매력적이 사진 소재 중 하나이다.

2. 갯벌 사진 촬영 방법
(1) 안전: 갯벌에 들어가기 전에 해변의 조건을 확인하고, 미끄러운 곳이나 깊은 구덩이, 물이 차오르는 시간 등 위험한 요소를 주의하자.
(2) 구도와 프레임 찾기: 갯벌은 조금씩 변하는 환경이기 때문에 움직이는 프레임을 찾는 것이 중요하며 주변의 생물이나 자연 요소를 활용하여 독특하고 흥미로운 구도를 찾아보자.
(3) 적절한 렌즈 활용: 작은 조개나 갑각류와 같은 갯벌 생물을 촬영할 때는 매크로 렌즈를 활용하고, 멀리 떨어진 곳은 망원렌즈를 사용하여 세밀한 곳을 아름답게 표현해 보자.
(4) 다양한 각도: 다양한 각도에서 사진을 촬영하거나 고도를 올려 조망하는 등 다양한 시점에서 사진을 촬영하여 갯벌의 다채로운 풍경을 담아보자.
(5) 소재의 조화; 갯벌 사진에 인물을 포함하면 사진에 깊이와 스토리를 더해줄 수 있으므로 갯벌을 걸어 다니며 자연스럽게 소재와 조화로운 모습을 촬영해 보자.
(6) 조명 조절과 촬영 장비 관련; 너무 강한 햇빛은 과도한 그림자를 만들어내거나 사진을 밝게 하여 세부 사항을 잃어버릴 수 있으니 적절한 조명을 유지하자. 또 갯벌에서는 물과 모래가 카메라와 렌즈에 손상을 줄 수 있으므로 적절한 방법으로 카메라와 렌즈 등 촬영 장비를 보호하자.

[사진 3-8] 갯벌 이미지

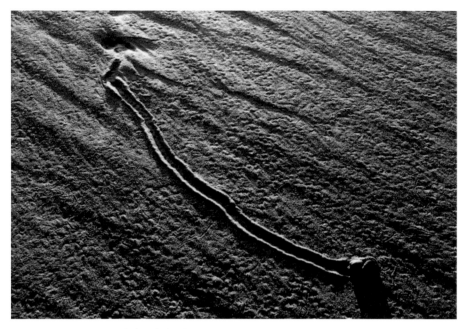

(1) 갯벌, (f16, 1/15, -0.67, ISO400)

(2) 갯벌, (f2.8, 1/400,+0.3, ISO100)

(3) 갯벌, (f11, 1/400, +0.33, ISO320)

(4) 갯벌, (f18, 1/100, +0.33, ISO1,000)

(5) 갯벌, (f20, 160, -0.33, ISO1,600)

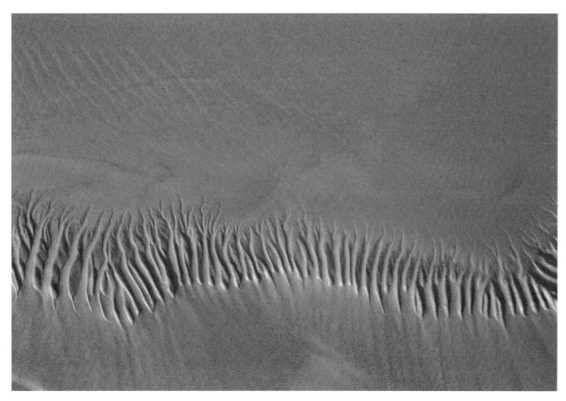

(6) 갯벌, (f18, 1/320, +0.33, ISO1,600)

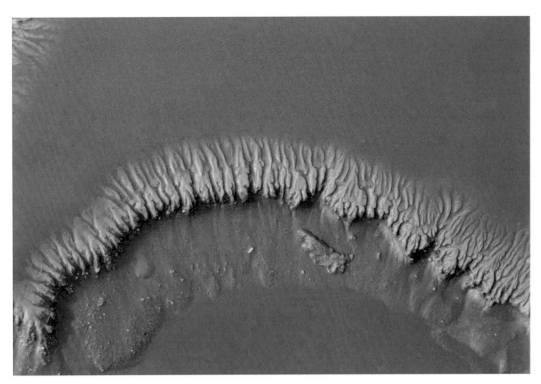

(7) 갯벌, (f18, 1/320, +0.33, ISO1,600)

(8) 갯벌, (f18, 1/320, +0.33, ISO1,600)

(9) 갯벌, (f16, 1/80, ISO400)

(10) 갯벌, (f20, 1/125, ISO400)

(11) 갯벌, (f16, 1/50, ISO1,000)

(12) 갯벌, (f16, 1/50, ISO100)

(13) 갯벌, (f16, 1/100, +0.67, ISO640)

(14) 갯벌, (f20, 1/25, -0.33, ISO400)

3-9 미니멀리즘 이미지

미니멀리즘(minimalism)은 간결함과 단순함을 강조하는 예술과 디자인의 접근 방식이자 철학적인 입장이기도 하다. 특히 사진에서는 촬영 주제나 구도, 조명 등을 최소한의 요소로 담아내어 불필요한 장식이나 복잡성을 배제하고, 명확하고 직접적인 메시지를 전달하기에 효과적인 방법의 하나이다.

이러한 미니멀리즘적인 사진을 촬영하여 나만의 여유로움, 공간의 미, 고요하고 평안한 느낌을 나타내 보자.

1. 미니멀리즘 사진의 매력

(1) 간결한 아름다움: 미니멀리즘 사진은 간소하면서도 아름다운 디자인을 통해 사람들의 시선을 사로잡는다. 불필요한 요소들을 제거함으로써 사진 속의 주제나 촬영 동기가 더욱 돋보이게 된다.

(2) 심미적인 균형: 미니멀리즘 사진은 대부분의 시각적 요소가 균형을 이루고 있다. 이 균형은 사진을 조화롭고 매력적으로 만들어 관찰자에게 조용하면서도 강렬한 미적인 감정을 전달한다.

(3) 진솔한 감정 전달: 간결한 형태와 구도는 사진 속의 감정을 더욱 진솔하게 전달한다. 미니멀리즘은 가장 간소화된 형태로 감정을 표현함으로써 보는 이에게 직접적으로 다가가는 효과를 가져온다.

(4) 추상적인 해석: 미니멀리즘 사진은 추상적인 주제나 개념을 표현하기에 이상적이다. 간소화된 요소들은 여러 가지 해석이 가능하게 만들어 관찰자에게 다양한 생각과 상상력을 자극한다.

(5) 집중과 명료성: 미니멀리즘 사진은 관찰자의 시선을 사진의 주요 요소에 집중시키고, 메시지를 명확하게 전달한다. 이는 사진이 보는 이에게 강력한 인상을 남기고, 그들의 상상력과 감정을 자극하는데 기여한다.

2. 촬영 소재와 방법

(1) 간결한 구도와 배경; 사진에 포함되는 요소를 최소화하여 간결한 구도와 단순하고 깨끗한 배경을 선택

(2) 공간 활용; 공간을 최대한 활용하거나 공간의 화면 배치를 중요시

(3) 단순한 풍경; 간결하면서도 아름다운 자연 풍경이나 도시의 건축물

(4) 빛과 그림자: 빛과 그림자의 대비를 활용하여 강렬한 시각적 효과

(5) 대조와 대비; 밝은 대비나 색상 대비를 통해 시선을 집중

(6) 조명과 색상; 조명을 조절하여 그림자와 하이라이트를 조절하고 강조. 단순하면서도 조화로운 색상을 선택

[사진 3-7] 미니멀리즘 - (1) 봄 여름 가을 겨울, (채광표, cyberspace 개인전 자료)

(1) 미니멀리즘, 기도, (f5, 1/125, ISO8,000)

(2) 미니멀리즘, 확신, (f11, 1/80, +0.67, ISO250)

(3) 미니멀리즘, **평화**, (f18, 1/250, +0.67, ISO640)

(4) 미니멀리즘, My Way, (f7.1, 1/800, +0.33, ISO200)

(5) 미니멀리즘, 새벽, (f11, 1/320, ISO250)

(6) 미니멀리즘, 어울림, (f11, 1/50, ISO50)

(7) 미니멀리즘, 자유, (f22, 1/250, ISO3,200)

(8) 미니멀리즘, 가이드, (f5, 1/200, ISO6,400)

(9) 미니멀리즘, 희망, (f22, 1/30, ISO100)

(10) 미니멀리즘, 소리, (f32, 1/15, ISO160)

(11) 미니멀리즘, 너와 나, (f11, 1/200, ISO100)

(12) 미니멀리즘, 대화, (f16, 1/160, ISO250)

(13) 미니멀리즘, 향기, (f8, 1/100, ISO2,000)

(14) 미니멀리즘, 고향, (f22, 1/60, ISO100)

(15) 미니멀리즘, **아침 이슬,** (f22, 1/80, ISO250)

(16) 미니멀리즘, **내일을 위하여,** (f16, 1/80, ISO125)

(17) 미니멀리즘, **목표 지점,** (f11, 1100, ISO100)

(18) 미니멀리즘, **기다림,** (f11, 1/200, ISO1,250)

(19) 미니멀리즘, **추억**, (f11, 1/320, ISO2,500)

(20) 미니멀리즘, **그리움**, (f6.3, 1/200, +1, ISO400)

(사진전 관람)

3-10 흑백 이미지

여러 분야에서 화려한 색채와 조명이 활용되고 있으나 흑백 사진은 꾸준히 다양한 분야에서 계속해서 사랑받고 있으며 예술적으로도 매력적인 표현 방법이다.
흑백 사진의 장점을 살리는 개성적인 사진을 촬영하여 독창적인 감성을 나타내 보자.

1. 흑백 사진의 장점
(1) 감정과 분위기 강조: 흑백 사진은 색채의 요소를 제거하여 주요 감정과 분위기를 강조할 수 있으므로 흑백 사진을 보는 사람의 감정적인 반응을 강하게 만들 수 있다.
(2) 시각적 단순화: 색을 제거함으로써 사진 속 세부적인 내용을 강조하고, 주제의 본질을 뚜렷하게 보여줄 수 있다.
(3) 시대적 느낌: 흑백 사진은 과거의 풍경과 사람들의 생활을 담아내어 역사적 가치를 부여할 수 있다.
(4) 예술적 표현: 조명, 형태, 질감 등을 강조하여 미술적인 표현을 가능하게 하여 흑백 사진 촬영자의 시각과 감성을 자유롭게 표현할 수 있게 한다. 때에 따라서는 모던하고 세련된 느낌을 줄 수도 있다.
(5) 연출의 유연성: 빛과 그림자, 형태와 감정을 더 자유롭게 연출할 수 있어서 흑백 사진 촬영자의 상상력과 창의성을 펼칠 수 있는 기회를 제공한다.

2. 흑백 사진 촬영 소재
(1) 흑백 사진의 소재는 거의 무제한적이다. 어떤 주제든 흑백으로 찍을 수 있다.
(2) 고궁 등의 문화 역사적 소재, 역광이나 부분적 인물, 다양한 포즈의 동식물, 교통이나 건물의 도시 풍경, 바위나 강 등의 자연 소재를 흑백 사진 촬영자의 상상력과 창의성을 발휘하여 표현할 수 있다.

3. 흑백 사진 촬영 방법
(1) 카메라 설정: 보통은 컬러로 촬영하여 흑백으로 변환한다. 그러나 디지털 카메라에는 흑백 모드가 있으므로 이 모드를 사용하면 후보정으로 흑백으로 변환하는 것보다 사진의 질을 높일 수도 있다.
(2) 조명과 구도: 직접적인 햇빛이나 밝은 조명 아래에서는 너무 강한 대비가 발생할 수 있으므로, 부드러운 조명을 사용하거나 조명의 강도를 조절하는 것이 좋다. 또 다양한 구도에서 촬영하여 그림자와 하이라이트의 대비를 조절하면 사진의 미적 요소를 강조할 수 있다.
(3) 컨트라스트와 톤: 흑백 사진에서는 컨트라스트와 톤이 매우 중요하다. 촬영할 때 주목해야 할 것은 주변 환경과 주제의 명암 대비이다. 부드럽고 균형 잡힌 대비를 얻기 위해 노출을 조절하고, 후에 포스트 프로세싱을 통해 톤을 조정할 수 있다.
(4) 주의 깊은 관찰: 흑백 사진에서는 질감, 형태, 패턴 등의 세부 사항이 중요하다. 따라서 흑백 사진을 찍을 때 세부 사항에 집중하고, 주제를 잘 강조할 수 있는 관점을 찾는 것이 중요하다.

[사진 3-8] 흑백 이미지 - 박제剝製된 시간

(2024 서우식 개인전, 가천대학교)

(1) 창덕궁 2019, (Leica M9, 65×65)

(2) 창덕궁 2022, (Hasselblad 903, Kodak Tmax 400, 65×65)

(3) 창덕궁 2021, (Hasselblad 903, Phaseone, 65×65)

(4) 창덕궁 2021, (Leica M9, 65×65)

(5) 창덕궁 2022, (Leica M9, 65×65)

(6) 창덕궁 2021, (Hasselblad 903, Kodak Tmax 400, 65×65)

(7) 창덕궁 2023, (Hasselblad 903, Kodak Tmax 400, 65×65)

(8) 창덕궁 2022, (Leica M9, 65×65)

(9) 창덕궁 2023, (Rollei 35 Pancro 400, 65×65)

(10) 종묘 2019, (Hasselblad 903, Kodak Tmax 400, 65×65)

(11) 창덕궁 2020, (Hasselblad 903, Kodak Tmax 400, 65×65)

(12) 창덕궁 2019, (Leica M9, 65×65)

(13) 창덕궁 2019, (Leica M9, 65×65)

(14) 창덕궁 2023, (Rico GR3, 65×65)

(15) 창덕궁 2013, (Leica M9, 65×65)

(16) 경복궁 2021, (Leica M9, 65×65)

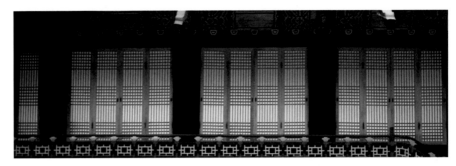

(17) 창덕궁 2013, (Leica M9, 65×65)

(18) 창덕궁 2022, (Hasselblad 903, Kodak Tmax 400, 65×65)

(작가 노트)　　　　　　　　　박제剝製된 시간

SEO WOOSIK

이 계절에도 옛 궁을 거닐어 본다. 오래전부터 틈이 나면 거닐던 곳이다.
봄 여름 가을 겨울 정취가 다르다. "장락長樂"이라고 내걸린 퇴락한 현판을 보면서
그들과 이야기 해보고 싶다. 오래 오래 즐겁고 행복했느냐고...　　　　　(1/3)

(19) 창덕궁 2023, (Rollei 35 Pancro 400, 65×65)

(20) 창덕궁 2022, (Hasselblad 903, Kodak Tmax 400, 65×65)

　홍매의 화사한 아름다움, 박석과 부딪히는 요란한 빗소리, 바람에 날리는 화려한 가을과 하얗게 덮여버린 정원, 권력의 뒤뜰에서 느껴보는 고요와 쓸쓸함이 배어나온다.
　지난여름 낙선재 마루에 앉아서 처마에 떨어지는 장마 빗방울 소리가 지금 귓가에 머물러 있다. 저 안에서 살았던 사람들은 지금 없다. 텅 비어버린 가운데 화려함과 추악함, 선악의 구별은 없고, 정반합의 고요함과 적막함뿐이다.　　　　　　　　(2/3)

(21) 창덕궁 2020, (Sony a7, 65×65)

(개인전 안내장)   (작품 전시회)

 이제는 멈춰버린 시간 속에서 화려했던 영화보다는 그저 소박함이 느껴진다. 멈춰진 시간과 쉼 없이 흐르는 시간과의 괴리는 역사와 문명이라는 산물로 표현될 뿐이다. 오늘의 영화와 고난의 순간도 먼 훗날에는 퇴색해 버리고 빈껍데기만 남는 박제된 시간속에 남겠구나.

(3/3)

제4장

사진집과 사진 전시회

4-1 사진집 만들기

4-2 사진 전시회

(찬란한 내일을 기원하며)

4-1 사진집 만들기

사진집을 만들기 위해서는 먼저 포트폴리오를 작성하는 것이 필요하다. 인터넷 등을 활용하여 다양한 사진집 형식 중에서 주제에 맞는 아이디어를 선택하고 창의성을 발휘하여 자신만의 사진집을 만들어 보자.

1. 사진 포트폴리오 만들기

(1) 포트폴리오 목적 설정: 먼저 포트폴리오를 만드는 목적을 정의하자. 예를 들어, 전문적인 사진작가로서의 업무 홍보, 학교 또는 학회 제출용 등이 있는데 여기서는 사진집을 만드는 목적이다.

(2) 사진 선택: 포트폴리오에 포함할 사진을 선정하자. 가장 좋은 사진을 선택하되, 포트폴리오의 주제나 목적에 부합하는 사진을 중점적으로 고르는 것이 중요하다.

(3) 레이아웃 및 디자인 구상: 포트폴리오의 레이아웃과 디자인을 결정하자. 좋은 모양의 포트폴리오를 만들기 위해 온라인 도구나 디자인 소프트웨어를 사용할 수 있다.

(4) 사진 편집: 선택한 사진들을 색감 보정, 크롭, 레이어 조정 등의 편집을 하여 최상의 품질과 완성도를 갖추도록 보정하자.

(5) 포트폴리오 완성: 선택한 사진들을 포트폴리오로 완성하자.

2. 사진집 만들기

(1) 주제 선정; 앞에서 만든 포트폴리오를 활용하여 사진집으로 발간할 주제, 표지와 속지 내용, 작가 노트, 차례 등을 작성하자.

(2) 사진 정리와 디자인 결정; 포트폴리오로 만든 사진을 발간 예정인 사진집에 맞춰 재정리하고, 사진집의 크기, 전체 페이지와 디자인을 어떻게 할지 결정하자.

(3) 문장 추가; 사진에 대한 이야기나 그때의 느낌 등을 써서 스토리가 있는 사진집이 되도록 하자.

(4) 인쇄와 배포; 디자인이 완료되면 온라인 출판이나 개인이 출력해서 필요한 분량의 사진집을 완성해 보자. 사진집을 보관하거나 필요한 사람들에게 나누어 주어 더욱 의미 있는 사진집이 되도록 하자.

3. '작가 노트' 작성

(1) 사진집이나 사진전에서 '작가 노트'를 작성하는 방법은 다양한데 보통 작가 노트에는 작품에 대한 배경 이야기, 창작 과정, 작품 소재, 작품을 표현하고자 하는 의도 등이 포함된다.

(2) 작가 노트를 작성할 때는 작품에 대한 자세한 설명과 작가 본인의 감정과 생각을 표현하는 것이 중요하다

(3) 각각의 사진이나 전체 작품의 고유한 이야기와 메시지를 전달하는 것이 좋다. 이를 통하여 관람객들은 작품을 더 깊이 이해하고 감상할 수 있을 것이다.

[사진 4-1(1)] 작가 노트 예시, (김정식 개인전, 2024. 3. 18~25, 가천대학교)

2024 KIM JUNGSIK PHOTOGRAPHY EXHIBITION

영혼의 파노라마
Panorama of the Soul

[침묵으로 허락했던 시간들]

끝이 보이지 않는 굴곡진 삶의 여정에서 바다만 고집하며 카메라에 담아 온 세월이 얼마인가- 아득하기만 합니다. 바다에 몸을 던지고 사는 내게 바다는 언제나 새로운 모습으로 다가와 꿈을 키우게 합니다. 바다는 나의 고향입니다.

때때로 거친 숨소리와 파도로 세상의 모든 길을 숨기기도 하지만 온갖 기쁨과 슬픔의 추억은 기다림과 사랑으로 나를 이끌었습니다. 이런 알 수 없는 파노라마에 매료되어 나에게 바다는 추억이고 생명력의 보고였습니다.

지혜로운 사람이 바다를 좋아한다고 하지만, 나는 추억이 많아 바다를 좋아합니다. 섬마을에서 태어나 바다를 배경으로 자라 슬픔과 기쁨도 바다 속에 묻어 있습니다. 그런 삶의 편린들을 예술적이고 미학적인 이미지로 표현하고 싶어 발품을 팔아 획득한 사진들입니다. 사실성에 왜곡된 테크닉을 가미한 점도 있지만, 나름대로 사진에 혼을 넣으려고 했습니다.

9번째 사진전입니다. 사진예술을 통하여 자연의, 특히 바다의 환상적이고 아름다운 모습을 바다의 원숙함으로 재조명하고 싶었습니다. [숨 쉬는 바다]의 연장선에서 내면의 빛과 색으로 선보입니다.

Photographer 김정식
-작가노트에서

(1) 작가 노트

[사진 4-1(2)] 사진집과 포트폴리오

(1) 사진집

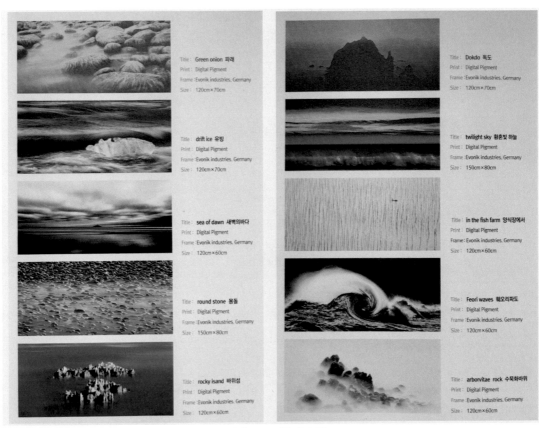

(2) 포트폴리오①

(3) 포트폴리오②

* 교수님 어록(2) *

1. 흑백 사진에서는 조명효과가 더 두드러지게 표현되지요~
2. 인물사진은 표정, 직업, 환경 등 대상의 특성이 잘 느껴지도록 조명을 사용하여 촬영하면 좋아요~
3. AI 시대의 사진은 아이디어가 점점 더 중요해지겠지요~
4. 개인전이 끝나니 사진 정리하기가 싫어지네요~ 이러면 안 되겠지요? ㅎㅎㅎ
5. 출사 때는 잘 먹으면서 찍는 과정을 즐기는 것도 중요하지요~

4-2 사진 전시회

사진 전시회는 공모전, 그룹전, 개인전 등 형태가 다양하다. 이러한 전시회를 준비하는 과정은 작가 스스로 작품 활동을 정리하고 새로운 작품 활동으로 도약하는 기회로 삼을 수 있는 매우 중요한 기회가 될 수 있다. 창의적으로 준비하여 보람 있는 개인 사진 전시회가 되도록 해보자.

1. 주제 설정
(1) 전시하려는 작품들의 내용과 방향을 포괄할 수 있는 주제를 설정하자.
(2) 주제는 여러 요소에 의해 결정될 수 있으며, 개인적인 관심사나 메시지를 전달하고자 하는 내용에 따라 달라질 수 있다.

2. 작품 선정과 제작
(1) 전시회에 전시할 작품을 선정하자. 완성된 작품이 있다면 이를 평가하여 선별할 수 있으며 없으면 새로운 작품을 만들자.
(2) 전시회의 주제나 메시지에 맞는 작품을 선택하여 포트폴리오를 구성하며, 작품의 크기와 형태, 재료 등을 고려하여 다양한 시각적인 경험을 제공하자.
(3) 선택한 작품들을 보완하고, 사진의 색감, 구도 등을 조절하여 작품의 수준을 높이자.

3. 전시 공간 확보와 전시
(1) 전시에 적절한 갤러리, 미술관, 커뮤니티 센터 등을 확보하고, 작품의 배치 및 전시 설계를 하자.
(2) 전시물의 배치, 조명, 작품 설명 등을 포함한 전시 계획을 수립하고, 각 작품의 조명과 배치를 조절하여 최적의 시각적 효과를 낼 수 있도록 하자.

4. 홍보와 마케팅
(1) 전시를 홍보하기 위한 마케팅 전략을 수립하고, 오프닝 이벤트나 작품 설명회 등의 행사를 계획하여 관람객들의 관심을 유도하자.
(2) 사진 작품의 배경, 의도, 촬영한 장소나 소재에 관한 이야기 등을 포함하는 '홍보용 팜플렛'과 '사진집' 등을 만들어 작품을 더 깊이 이해할 수 있는 정보를 제공하자.

5. 개막 행사와 전시회
(1) 작가와 관람객 간의 소통과 연결을 도모할 좋은 기회이므로 작품 설명회, 음악 공연, 시식 등의 프로그램을 포함하여 관람객들의 흥미를 유발하자.
(2) 작품을 전시하면서 판매하고, 관심 있는 사람들과의 네트워킹을 통해 작품을 홍보하자. 전시회 기간 동안 관람객들과의 소통과 피드백을 통해 앞으로의 사진 창작 활동을 더욱 발전시키자.

[사진 4-2(1)] 안내 팜플렛

(1) 모바일 초대장   (2) 전시회 팜플렛

[사진 4-2(2)] 사진 전시회 (김정식, 영혼의 파노라마)

(1) 전시회장

(2) 개인전 관람①

(3) 개인전 관람②

(4) 작품 해설

[사진 4-2(3)] 개인전 작품 전시 (일부)

(1) 작품 전시, 은하수, (120×60cm)

(2) 작품 전시, 수묵화 바위, (120×60cm)

(3) 작품 전시, **별빛 바다**, (120×70cm)

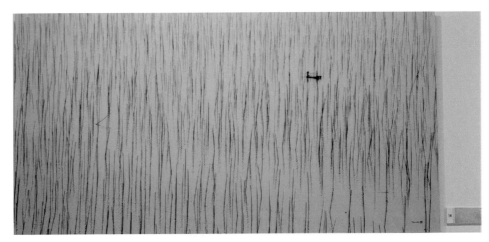

(4) 작품 전시, 양식장에서, (120×60cm)

(5) 작품 전시, 회오리 파도, (120×60cm)

(6) 작품 전시, 등대섬, (150×80cm)

(7) 작품 전시, 안개섬, (240×120cm)

(8) 작품 전시, 오로라, (240×120cm)

(9) 작품 전시, 썰물의 흔적, (240×120cm)

[부록 1] 사진 후보정 프로그램 응용

1. 파노라마 사진 완성하기
(1) 한 사진과 다음 사진이 겹치는 부분이 20~30%로 위와 아랫부분이 여유 있는
파노라마 사진을 여러 장 촬영하자.
 (보다 상세한 촬영 방법은 부록 2의 책을 참조할 것)
(2) 포토샵 CC 프로그램을 실행하자.
(3) 파일〉 자동화〉 Photomerge를 선택하자.
(4) 파일 찾아보기를 클릭하여 파노라마로 만들 사진을 여러 장 불러오자. 하단 부분의
네모 부분을 모두 체크한 후, 확인 버튼을 누르자.
(5) 잠시 후 파노라마 사진이 병합되면 후보정하여 완성된 사진으로 만들자.
 1) 레이어 병합
 2) 하늘과 같이 단순한 장면은 자르기를 하지 말고, (페더 값은 0으로 한 후)
'내용인식' 처리하자.
 (점선 사각형 선택도구〉 편집〉 내용인식 채우기)
 3) 후보정 완료 후〉 다른 이름으로 저장(파일명, JPEG)〉 저장〉 확인

[사진, 부록 1-1] 파노라마 이미지

(1) 파노라마, (f16, 1/80, ISO200)

2. 다초점(focus stacking) 사진 완성하기
(1) 초점링을 서서히 돌려서 촬영하려는 물체의 여러 곳에 초점을 맞추며 여러 장 촬영
하자. 또는 AF로 놓고, 카메라의 액정창을 보면서 여러 주요 촬영지점을 터치해서 촬영
하자.
 (보다 상세한 촬영 방법은 부록 2의 책을 참조할 것)
(2) 포토샵 CC 프로그램을 실행하자.
(3) 파일〉 스크립트〉 스택으로 파일 불러오기〉 찾아보기; 붙일 사진 여러 장을
선택하고, 확인〉 소스 이미지 자동 정렬 시도, 체크〉확인
(4) 오른쪽 하단 레이어, Ctrl 버튼 누르고, 레이어 모두 선택〉 편집〉 레이어 자동 혼합,
이미지 스택, 연속톤 및 색상 체크〉 확인
(5) 오른쪽 하단, 레이어 우측 상단 = 부분 클릭, 보이는 레이어 병합〉 파일〉 다른
이름으로 저장(파일명, JPEG)〉저장〉확인

[사진, 부록 1-2] 다초점 이미지

(2) 다초점, (f8, 1/100, ISO800)

3. 인터벌(시간 간격) 사진 완성하기
 (1) 이미지 불러오기: 먼저 포토샵을 열고 인터벌로 촬영한 이미지들을 불러오자.
 (2) 레이어 정렬하기: 이미지들을 적절한 순서로 레이어에 쌓자. 필요하다면, 이미지의
순서를 변경할 수 있다.
 (3) 레이어 정렬 도구 사용: 포토샵의 "레이어 정렬" 도구를 사용하여 이미지들의
위치를 조정하자. 이를 통해 각 이미지들이 일정한 간격으로 배치된다.
 (4) 프레임 만들기: 각 이미지를 원하는 시간 간격으로 보여주도록 설정하자. 이를 위해
각 레이어의 보이기/숨기기 설정을 조절하고, 타임라인 패널을 사용하여 각 프레임의
시간을 조정한다.
 (5) 저장 및 내보내기: 인터벌 사진을 만든 후에는 파일 〉 내보내기 〉 동영상으로
저장하여 원하는 형식으로 저장하자. 설정된 동영상 형식과 해상도를 선택한 후에
저장하자.
[사진, 부록 1-3] 인터벌 이미지

(3) 4분 20초 촬영 1초 쉬기, 10장, (f16, 2,600, ISO100)

4. 사진 동영상 만들기

 (1) 포토샵 프로그램을 열자.

 (2) 파일 불러오기: '파일' 메뉴에서 '스크립트'를 선택하고, '파일로 불러오기'를 클릭하여 이미지 파일들을 불러오자. 또는 '파일' 메뉴에서 직접 이미지 파일을 열 수도 있다.

 (3) 레이어로 변환: 이미지 파일들이 레이어로 쌓이게 되면, 각 이미지를 시간에 따라 보여주기 위해 레이어로 변환하자. 이를 위해 각 이미지를 선택하고, '레이어' 메뉴에서 '레이어로 변환'을 선택하자.

 (4) 타임라인 생성: '윈도우' 메뉴에서 '타임라인'을 선택하여 타임라인 패널을 열자.

 (5) 프레임 추가: 타임라인 패널에서 새로운 프레임을 추가하고, 각 프레임에 원하는 이미지를 배치하자. 이를 위해 각 프레임에서 해당 이미지 레이어를 보이거나 숨길 수 있다.

 (6) 프레임 시간 설정: 각 프레임의 시간 간격을 설정하자. 이를 위해 타임라인 패널에서 각 프레임의 지속 시간을 설정하자.

 (7) 미리 보기와 조정: 만'"내보내'를 선택하여 원하는 형식으로 저장하자. 대표적으로 GIF, MP4 등의 형식을 선택할 수 있다.

[사진, 부록 1-4] 사진 동영상 이미지

(4) 사진 동영상 예시

 5. 인공지능(AI) 기능 활용 이미지; 생성형 인공지능(AI)을 활용하여 하늘과 바다 등에 이미지를 채우거나 사진에 새로운 개체를 해 보자.

 (1) 하늘과 바다 채우기; 생성형 AI가 주위 환경을 기준으로 레이어 영역을 채워 새로운 하늘과 바다로 바꾸어 주자.

 1) 포토샵 베타 버전을 열고, 새롭게 만들고 싶은 하늘 사진을 열자.

 2) 도구 창에서 '자르기 도구' 선택하고, 캔버스 크기를 늘리자.

 3) '생성형 확장' 선택하자.

 4) 명령어를 입력하고, '생성' 선택하자.

5) 화살표로 다른 샘플을 확인하거나, '생성' 버튼을 다시 선택해 새로운 이미지를 생성하자.

⑵ 새로운 개체 추가하기; 명령어에 따라 생성형 AI가 사진에 새로운 개체를 추가할 수 있다. 상상력을 발휘해 이미지를 더욱 다양하게 만들어 보자.

1) 포토샵 베타버전의 도구 창에서 '선택 윤곽 도구' 선택하자.

2) 개체 추가할 영역 선택하자.

3) '생성형 채우기' 선택하자.

4) 한국어로 명령어를 입력하고, '생성'을 선택하자.

[사진, 부록 1-5] 인공지능 활용 이미지

(5) 원본 이미지 ①

(5) AI로 하늘대체 이미지 ②

[부록 2] '행복 사진 찍기' (초중급자용)

평생교육원용

행복 사진 찍기

김정식, 김형도, 채광표 지음

(부록, 2) '행복 사진 찍기' 책표지

(* 본 도서는 인터넷 서점, ㈜부크크 등에서 구입 가능 함)

참고 문헌과 자료

1. 김정식, 디지털사진미디어, 사진지도자, 사진예술아카데미 강의자료 (2017~2024).
2. 김정식, 김형도, 채광표, 사진촬영 자료 (2017~2024).
3. 김정식, 김형도, 채광표, 행복 사진 찍기 (2022).
4. 김정식 사진 개인전 자료, 가천대학교 (2024).
5. 김형도, 디지털사진미디어, 사진지도자 과정 특강 자료 (2017~2021).
6. 서우식 사진 개인전 자료, 가천대학교 (2024).
7. 이휘영, 캐논아카데미 Mark IV 사용방법, 마스터코스반 강의 자료 (2019).
8. 조성준, 캐논아카데미 Canon EOS R6 Mark II 사용법 온라인 강의 자료 (2023).
9. 챗 GPT 자료 (2024).
10. Canon EOS Mark IV 매뉴얼.
11. Canon EOS R6 Mark II 매뉴얼.

저자 주요 사진경력

(교수, 사진작가 김정식)

- 한국인 예술인대상 대통령상 및 문화공보부장관상 수상,
- 한국사진작가협회 정회원, 이사, 감사, 부이사장 역임.
- 한국 환경영상협회 이사장 역임.
- 98 KBS1TV 신한국기행 (작가 김정식 숨 쉬는 바다) 특집 방영.
- 97년 중앙일보 '한국을 움직이는 인물들' 및 국사편찬위원회 선정 수록.
- 러시아 역사예술대학 석박사
- 가천의과대학교 영상정보 대학원 사진미디어 전공

(사진작가 김형도)

- 광진문화원 사진교실 강사
- 가천대학교 디지털사진미디어, 사진지도자 과정, 사진강의 자격과정 수료
- 한국사진작가협회 정회원
- 한국사진작가협회 전문교육위원
- 한국사진작가협회 꽃 사진분과 부위원장 역임

(사진작가 채광표)

- 대한민국사진대전 입선(5회)
- 각종 사진공모전 입상(21회)
- 사진전시회 참가(11회)
- 한국사진작가협회 정회원
- 가천대 평생교육원 디지털사진미디어, 사진강의 자격자과정 수료
- 강릉시 평생학습관, 판교 종합복지관 사진반 수강.
- (전) 건국대학교 교수